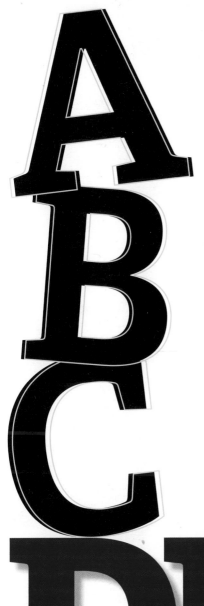

DELF

David Clément-Rodríguez

CLE
INTERNATIONAL

Directrice de la production éditoriale : Béatrice Rego
Marketing : Thierry Lucas
Édition, recherche iconographique : Charline Heid-Hollaender
Conception couverture : Miz'enpage
Réalisation couverture : Dagmar Stahringer / Griselda Agnes
Conception graphique : Miz'enpage
Mise en pages : Christine Paquereau
Illustrations : Adriana Canizo, Oscar Fernandez (Ferni) & Esteban Ratti, Luis Maria Benitez
Enregistrements : studio Quali'sons

© CLE International / SEJER, 2019.   ISBN : 978-209-038252-5

Le DELF (*Diplôme d'études en langue française*), sous sa forme actuelle, a été mis en place en 2005. On distingue les diplômes tous publics suivants : DELF A1, DELF A2, DELF B1, DELF B2, ainsi que les DALF (*Diplôme approfondi de langue française*) C1 et C2. Ces certifications du ministère français de l'éducation nationale sont harmonisées sur l'échelle à 6 niveaux du *Cadre européen commun de référence pour les langues* (CECRL).

L'examen du DELF est constitué d'épreuves orales et écrites, organisées sous forme d'activités de compréhension, de production et d'interaction. L'obtention de l'examen permet de valider le parcours d'apprentissage et atteste officiellement d'un niveau de connaissance acquis en langue française.

Le niveau A1 du CECRL correspond à un niveau élémentaire, généralement désigné comme niveau « introductif ou de découverte ». Le CECRL précise que « *l'apprenant peut comprendre et utiliser des expressions familières et quotidiennes, ainsi que des énoncés très simples qui visent à satisfaire des besoins concrets. [Il] peut se présenter ou présenter quelqu'un et poser à une personne des questions la concernant – par exemple, sur son lieu d'habitation, ses relations, ce qui lui appartient, etc. – et peut répondre au même type de questions. [Il] peut communiquer de façon simple si l'interlocuteur parle lentement et distinctement et se montre coopératif.* » (d'après l'échelle globale du CECRL, Conseil de l'Europe, Division des langues vivantes, p. 25).

Selon les recommandations du CECRL, le niveau A1 correspond à un enseignement de 80 à 100 heures. ***ABC DELF A1*** propose aux futurs candidats à l'examen DELF A1 de s'entraîner à partir de 200 activités et 3 épreuves types suivant les spécifications des épreuves de l'examen officiel.

Les activités proposées suivent l'approche actionnelle préconisée par le CECRL. En effet, elles mettent le candidat en situation (contextualisation des consignes) et l'implique directement (les questions s'adressent à lui personnellement).

Les activités de compréhension évaluent la capacité du futur candidat à comprendre des situations courantes dans des domaines familiers et un environnement immédiat du quotidien. Les activités de production visent à évaluer la capacité du candidat à s'exprimer et à interagir auprès d'un interlocuteur francophone dans ce même contexte.

Dans cet ouvrage, l'**entraînement aux quatre compétences** est organisé de la même façon, en quatre temps :

• ***A comme... aborder*** permet au futur candidat de découvrir en quoi consiste l'épreuve. Des conseils lui sont également donnés afin de lui permettre de préparer l'examen de façon optimale.

• ***B comme... brancher*** propose au futur candidat de réaliser une ou deux activités pour se faire une première idée de l'objectif de l'épreuve.

• ***C comme... contrôler*** présente, pour les compétences de compréhension, un corrigé commenté qui aide le futur candidat à s'autoévaluer. Quant aux compétences de production, on trouve dans cette partie une analyse des grilles d'évaluation utilisées par l'examinateur-correcteur, des simulations de productions (en production écrite) et des indices pour réussir les situations (en production orale). Le futur candidat pourra aussi mieux comprendre ce qui est attendu pour ces épreuves.

• ***D comme... DELF*** constitue le point central de l'ouvrage, à savoir 200 activités, réparties entre les 4 compétences, dont la forme et le contenu suivent les exigences de l'examen officiel.

En fin d'ouvrage, **trois épreuves types,** ou *DELF blancs,* reprennent les quatre compétences et leurs exercices respectifs. Le futur candidat a ainsi la possibilité de se retrouver dans une situation authentique de passation de l'examen DELF A1.

Enfin, des **« Petits plus »** insistent sur quelques points de morphosyntaxe et de lexique devant être acquis au niveau A1.

Tous les corrigés de compréhension orale et écrite, ainsi que les transcriptions des pistes du CD, sont fournis avec le livre, dans un livret séparé.

L'application des recommandations du CECRL et des exigences de l'examen officiel devrait permettre au futur candidat de préparer l'examen dans des conditions optimales.

Bonne préparation et bonne réussite à l'examen !

L'auteur

DELF A1

(NIVEAU A1 DU *CADRE EUROPÉEN COMMUN DE RÉFÉRENCE POUR LES LANGUES*)

NATURE DES ÉPREUVES : A1	DURÉE	NOTE SUR
Compréhension de l'oral Réponse à des questionnaires de compréhension portant sur trois ou quatre très courts documents enregistrés ayant trait à des situations de la vie quotidienne (deux écoutes). *Durée maximale des documents : 3 minutes.*	0 h 20 environ	/ 25
Compréhension des écrits Réponse à des questionnaires de compréhension portant sur quatre ou cinq documents écrits ayant trait à des situations de la vie quotidienne.	0 h 30	/ 25

Production écrite
Épreuve en deux parties :
  - compléter une fiche, un formulaire
  - rédiger des phrases simples (cartes postales, messages, légendes...) sur des sujets de la vie quotidienne.
	0 h 30	/ 25

Production orale
Épreuve en trois parties :
  - entretien dirigé ;
  - échange d'informations ;
  - dialogue simulé.
	5 à 7 min
	préparation :
	10 min
		/ 25

Durée totale des épreuves collectives : 1 h 20.

Note totale sur 100
Seuil de réussite pour l'obtention du diplôme : 50 / 100
Note minimale requise par épreuve : 5 / 25

Sommaire

Compréhension de l'ORAL

Description de l'épreuve

L'épreuve de compréhension orale est la première partie des épreuves collectives du DELF A1. Elle dure env. **20 min**.

L'épreuve de compréhension orale est notée sur **25 points** et se compose de **quatre exercices** :

1. Comprendre un message personnel sur son répondeur → noté sur 4 points
2. Comprendre une annonce à la radio ou dans un lieu public → noté sur 5 points
3. Comprendre des instructions simples enregistrées → noté sur 6 points
4. Comprendre des dialogues courts entre natifs et identifier des situations → noté sur 10 points

Pour vous aider...

Voici quelques conseils pour vous préparer à l'épreuve de compréhension orale :

1. L'écoute des documents

Vous entendez la consigne qui explique ce qu'il faut faire pour chaque activité.
Vous pouvez aussi lire cette même consigne sur votre copie d'examen.

Vous avez **30 secondes pour lire les questions** avant d'entendre le document sonore une première fois.

→ Prenez le temps de **bien lire les questions** et de **repérer les différents types de questions**. Elles vous aident à comprendre le document et à répondre correctement (voir un exemple d'activité dans les parties « B comme... brancher » et « C comme... contrôler la compréhension de l'oral »).

Après l'écoute de l'enregistrement, vous avez **30 secondes pour répondre aux questions**.

→ Si vous n'avez pas eu le temps de répondre à toutes les questions après la première écoute, rappelez-vous que :
  • vous allez entendre le document sonore une **deuxième fois**,
  • et vous aurez encore **30 secondes** après la deuxième écoute pour compléter les réponses.

2. Répondre aux questions

Les questions sont toujours dans l'ordre de l'enregistrement. Donc, la réponse de la première question est au début de l'enregistrement et la réponse de la dernière question à la fin.

Dans les exercices 1, 2 et 3 de l'épreuve de compréhension orale, il y a plusieurs types de questions :

• **Des questions où vous devez choisir et cocher (☒) la bonne réponse.**

  → Il y a une seule bonne réponse parmi les trois choix proposés (sauf si la consigne indique qu'il y a plusieurs réponses possibles).

  → Si vous avez coché une case et que vous voulez changer de réponse, cochez et entourez la case de la réponse que vous avez finalement choisie.

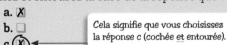

    a. ☒
    b. ☐   *Cela signifie que vous choisissez*
    c. ⊗   *la réponse c (cochée et entourée).*

• **Des informations (chiffrées ou non chiffrées) à donner ou à compléter.**

  → Vous ne devez pas écrire une phrase entière. Vous pouvez écrire quelques mots pour répondre à la question.

  → Essayez de répondre simplement et lisiblement.

  → Si plusieurs réponses sont possibles, c'est toujours indiqué par *Une réponse attendue* ou *Donnez une réponse*. Cela indique aussi que vous devez écrire une réponse seulement. Choisissez la plus facile pour vous.

  → Quand vous devez donner plusieurs réponses, c'est toujours indiqué dans la consigne par : *Deux réponses*.

Dans l'exercice 4 de l'épreuve de compréhension orale, il faut associer un dialogue et une image. Il s'agit de compréhension globale. Essayez de repérer qui parle (2 hommes ? 2 femmes ? Un homme et une femme ?) et d'identifier des mots importants pour répondre. Attention : il y a toujours cinq dialogues, mais six images. Il y a donc une image supplémentaire non utilisée.

  → Consultez la partie *B comme... brancher* pour voir un exemple de sujet.

Exemple d'une activité à réaliser

Pour vous entraîner, réalisez l'activité suivante.

I Comprendre un message sur son répondeur téléphonique

ACTIVITÉ 1

Votre amie française laisse un message sur votre répondeur.
Lisez les questions. Écoutez le document, puis répondez aux questions.

PISTE 1

1 ● Quand est-ce que votre amie veut sortir ?

....

2 ● Où ?

    a. ☐   **b.** ☐   **c.** ☐

3 ● Quel est le numéro de la rue ?

....

4 ● Vous utilisez...
    a. ☐ le bus.
    b. ☐ le métro.
    c. ☐ le tramway.

Évaluez vos réponses à la page suivante dans la partie *C comme... contrôler la compréhension de l'oral.*

C comme... *contrôler la compréhension de l'oral* ////////////////////

Après avoir réalisé une activité, vous pouvez évaluer vos réponses à l'aide de la proposition de correction.

//////////// **I** | **Comprendre un message sur son répondeur téléphonique** ////////////////////

Pour l'activité que vous venez de réaliser, avez-vous bien répondu ?

1 ● Vendredi (soir).	.... /1 point
2 ● c.	.... /1 point
3 ● 42.	.... /1 point
4 ● a.	.... /1 point

Vous avez moins de 3 points ? Regardez les conseils ci-dessous et dans la partie *A comme... aborder la compréhension orale* et entraînez-vous avec les activités p. 10 à 45.

ACTIVITÉ 1

Votre amie française laisse un message sur votre répondeur.
Lisez les questions. Écoutez le document, puis répondez aux questions.

> Chaque activité a un objectif spécifique. Ici, il faut comprendre un message sur un répondeur téléphonique. Cela peut être le message d'un ami (comme dans cette activité), d'un collègue, d'un commerçant, etc.

1 ● Quand **est-ce que votre amie veut sortir ?**

Vendredi (soir).

> Bien lire la question aide à trouver la réponse.
> Ici, il faut trouver une information de temps (quand) comme par exemple : un jour de la semaine, une date précise, etc.
>
> La réponse est « vendredi ». (Vous pouvez répondre « vendredi soir », mais ce n'est pas obligatoire.)

> Ici, la question 2, complète la question 1. Il faut comprendre : *Où est-ce que votre amie veut sortir ?*
>
> Il faut repérer une information de lieu. Ici, 3 lieux sont proposés. Dans le document sonore, votre amie parle d'un « bar sympa ». Il faut cocher (☒) la réponse c.

2 ● Où ?
    a. ☐   **b.** ☐   **c.** ☒

3 ● Quel est le numéro de la rue ?

42.

> Dans la question 3, on vous demande une information chiffrée. Il peut s'agir d'un numéro de téléphone, un numéro de vol, un horaire, un prix, une quantité, etc.
>
> Ici, on vous demande le numéro de la rue. La réponse est « 42 ». Dans le message, votre amie vous indique l'adresse « 42 rue des Guerriers samouraïs ».

4 ● Vous utilisez...
    a. ☒ le bus.
    b. ☐ le métro.
    c. ☐ le tramway.

> Dans la question 4, on vous demande de repérer une information. Il peut s'agir d'une information sur une personne, un événement, une activité, un lieu ou de temps (comme dans la question 1).
>
> Ici, cette information est sur les moyens de transport. Attention : deux moyens de transports sont mentionnés. Votre amie vous dit d'utiliser le bus et de ne pas utiliser le tramway. Dans la liste, il faut cocher (☒) la réponse a.

Compréhension de l'ORAL

Pour préparer l'épreuve de compréhension orale, réalisez les activités suivantes. Pensez à appliquer les recommandations données dans la partie *A comme... aborder la production orale.*

////////////// **I** **Comprendre un message sur son répondeur téléphonique** /////////////////////////////////////

A. D'un ami

ACTIVITÉ 2

Votre amie québécoise laisse un message sur votre répondeur. /////////////////////////////////
Lisez les questions. Écoutez le document, puis répondez aux questions.

PISTE 2

1 • À quelle heure est le rendez-vous ?

....

2 • Laëtitia propose d'aller...

a. ☐

b. ☐

c. ☐

3 • Pour rencontrer vos amis, vous devez...
a. ☐ écrire à Davy.
b. ☐ téléphoner à Laëtitia.
c. ☐ aller chez Geneviève.

4 • Qu'est-ce que vous devez apporter ?

....

ACTIVITÉ 3

Vous vivez à Toulouse. Votre ami laisse un message sur votre répondeur. ////////////////////////
Lisez les questions. Écoutez le document, puis répondez aux questions.

PISTE 3

1 • De quel pays arrive Florian ?

....

2 • Il est à Toulouse pendant combien de jours ?

....

3 • Hugo vous invite...
  a. ❑ mardi.
  b. ❑ mercredi.
  c. ❑ jeudi.

4 • Qu'est-ce que vous devez apporter ?
  a. ❑   **b.** ❑   **c.** ❑

ACTIVITÉ 4

Une amie vous laisse un message sur votre répondeur.
Lisez les questions. Écoutez le document, puis répondez aux questions.

PISTE 4

1 • Rose vous propose d'aller...
  a. ❑   **b.** ❑   **c.** ❑

2 • À quelle heure vous avez rendez-vous ?

....

3 • Un menu peut coûter...
  a. ❑ 15 €.
  b. ❑ 17 €.
  c. ❑ 19 €.

4 • Qui est-ce que votre amie a invité ?

....

ACTIVITÉ 5

Vous écoutez ce message sur votre messagerie vocale.
Lisez les questions. Écoutez le document, puis répondez aux questions.

PISTE 5

1 • Votre ami appelle pour...
- **a.** ❑ annuler votre rendez-vous.
- **b.** ❑ changer votre rendez-vous.
- **c.** ❑ confirmer votre rendez-vous.

2 • Quel moyen de transport devez-vous utiliser ?

a. ❑   **b.** ❑   **c.** ❑

3 • Qu'est-ce que vous devez acheter ?

....

4 • Quel est le prix ?

....

ACTIVITÉ 6

Votre ami laisse un message sur votre répondeur.
Lisez les questions. Écoutez le document, puis répondez aux questions.

PISTE 6

1 • Votre ami vous propose de visiter Strasbourg. Quand ?

....

2 • Quel transport veut-il utiliser ?

a. ❑   **b.** ❑   **c.** ❑

3 ● Qu'est-ce que vous devez apporter ?

....

4 ● Vous confirmez l'invitation par…
   a. ☐ sms.
   b. ☐ courriel.
   c. ☐ téléphone.

ACTIVITÉ 7

Votre ami suisse laisse un message sur votre répondeur.
Lisez les questions. Écoutez le document, puis répondez aux questions.

PISTE 7

1 ● Combien d'invitations a votre ami ?

....

2 ● À quelle heure est-ce qu'il va chez le dentiste ?
   a. ☐ 15 h.
   b. ☐ 16 h.
   c. ☐ 18 h.

3 ● Qu'est-ce que vous devez choisir ?

....

4 ● Comment est-ce que votre ami va faire la réservation ?
   a. ☐   **b.** ☐   **c.** ☐

///

ACTIVITÉ 8

Votre amie laisse un message sur votre répondeur. //////////////////////////////////

Lisez les questions. Écoutez le document, puis répondez aux questions.

PISTE 8

1 ● Quel jour votre amie est-elle disponible ?

....

2 ● À quelle heure ?

a. ☐ b. ☐ c. ☐

3 ● Le soir, où est-ce qu'elle veut aller ?

    a. ☐ Au musée.
    b. ☐ Au cinéma.
    c. ☐ Au restaurant.

4 ● Quand devez-vous rappeler votre amie ?

....

....

ACTIVITÉ 9

Vous entendez ce message sur votre messagerie vocale. //////////////////////

Lisez les questions. Écoutez le document, puis répondez aux questions.

PISTE 9

1 ● Quel jour Adil est revenu de voyage ?

....

2 ● Quel sport est-ce qu'il a pratiqué ?

....

3 ● Votre ami n'aime pas...

    a. ☐ la soupe.
    b. ☐ les röstis.
    c. ☐ le chocolat.

4 ● Votre ami veut vous offrir...

a. ☐ b. ☐ c. ☐

Votre amie laisse un message sur votre répondeur.
Lisez les questions. Écoutez le document, puis répondez aux questions.

PISTE 10

1 • Cristina propose d'aller où ?

a. ☐   b. ☐   c. ☐

2 • À quelle heure est le rendez-vous ?

3 • Pour aller à l'espace Matisse, il faut prendre...
- **a.** ☐ le bus.
- **b.** ☐ le taxi.
- **c.** ☐ le vélo.

4 • Combien coûte l'entrée ?

B. D'un professionnel

Vous écoutez ce message sur votre répondeur.
Lisez les questions. Écoutez le document, puis répondez aux questions.

PISTE 11

1 • L'employé vous informe de la réparation de votre...

a. ☐   b. ☐   c. ☐

//

2 • Quand pouvez-vous récupérer votre véhicule ?

....

3 • Le soir, le garage ferme à quelle heure ?
   a. ❏ 18 h 30.
   b. ❏ 19 h 30.
   c. ❏ 20 h 30.

4 • Quel est le prix des réparations ?

....

ACTIVITÉ 12

Vous entendez ce message sur le répondeur. //
Lisez les questions. Écoutez le document, puis répondez aux questions.

PISTE 12

1 • Vous recevez un message...
   a. ❏ personnel.
   b. ❏ commercial
   c. ❏ professionnel.

2 • À quelle heure est le rendez-vous ?

....

3 • Qui vient à la réunion ? *(Une réponse attendue)*

....

4 • Vous pouvez contacter monsieur Dujardin par...
   a. ❏   **b.** ❏   **c.** ❏

Vous habitez en France. Vous écoutez ce message sur votre répondeur.
Lisez les questions. Écoutez le document, puis répondez aux questions.

PISTE 13

1 ● Madame Lara vous propose de visiter...

a. ☐   **b.** ☐   **c.** ☐

2 ● Cet endroit est situé près de...

3 ● Avant quel jour pouvez-vous contacter Mme Lara ?

    a. ☐ Mercredi.

    b. ☐ Vendredi.

    c. ☐ Samedi.

4 ● Avant quelle heure ?

Un employé laisse un message sur votre répondeur.
Lisez les questions. Écoutez le document, puis répondez aux questions.

PISTE 14

1 ● Combien coûte l'abonnement chez *Formule* + ?

2 ● Pour bénéficier de l'abonnement, qu'est-ce que vous devez faire ?

a. ☐   **b.** ☐   **c.** ☐

//

3 • **Quels jours ?** *(Deux réponses)*

....

4 • **Les jours de la semaine, le club ferme à...**
    a. ☐ 19 h.
    b. ☐ 20 h.
    c. ☐ 21 h.

ACTIVITÉ 15

Vous écoutez ce message sur votre répondeur. //
Lisez les questions. Écoutez le document, puis répondez aux questions.

PISTE 15

1 • **Le magasin MégaTec vous offre...**
    a. ☐ un téléphone.
    b. ☐ un ordinateur.
    c. ☐ une imprimante.

2 • **Quand pouvez-vous aller chercher votre cadeau ?**

....

3 • **Le magasin ouvre à quelle heure ?**

....

4 • **Qu'est-ce que vous devez montrer à l'employé du magasin ?**
    a. ☐   **b.** ☐   **c.** ☐

ACTIVITÉ 16

Vous partez en voyage à Bruxelles. Vous écoutez ce message sur votre répondeur.
Lisez les questions. Écoutez le document, puis répondez aux questions.

PISTE 16

1 • L'agence vous appelle pour...
  a. ☐ annuler votre réservation.
  b. ☐ modifier votre réservation.
  c. ☐ confirmer votre réservation.

2 • La réservation est à quelles dates ?

....

3 • Qu'est-ce qui est inclus ?
  a. ☐   **b.** ☐   **c.** ☐

4 • Pour aller à l'hôtel, quel transport devez-vous utiliser ?

....

ACTIVITÉ 17

Vous écoutez ce message sur votre répondeur.
Lisez les questions. Écoutez le document, puis répondez aux questions.

PISTE 17

1 • Quel article avez-vous commandé ?
  a. ☐   **b.** ☐   **c.** ☐

2 • À partir de quand est-ce que l'article est disponible ?

....

3 • À quelle heure ouvre le magasin ?

....

4 • Vous devez présenter votre...
  a. ☐ carte d'identité.
  b. ☐ carte de fidélité.
  c. ☐ carte d'étudiant.

D comme... DELF

////////// **II** | **Comprendre une annonce** //

A. À la radio

ACTIVITÉ 1

Vous écoutez ce reportage à la radio française. //
Lisez les questions. Écoutez le document, puis répondez aux questions.

PISTE 18

1 • Le thème de l'événement *En Val de Lugnes* est...

    a. ☐   **b.** ☐   **c.** ☐

2 • L'événement commence le...

    a. ☐ 6 juillet.
    b. ☐ 10 juillet.
    c. ☐ 20 juillet.

3 • Chaque année, combien de personnes assistent à cet événement ?

....

4 • Où est-ce que vous pouvez réserver des places ? *(Donnez une réponse)*

....

ACTIVITÉ 2

Vous entendez cette publicité à la radio française. ///
Lisez les questions. Écoutez le document, puis répondez aux questions.

PISTE 19

1 • MégaJeux vend...

    a. ☐   **b.** ☐   **c.** ☐

2 • La réduction sur les jeux vidéo est de .... %.

3 • Si vous dépensez 150 euros, vous avez une remise de...
   a. ☐ 20 euros.
   b. ☐ 25 euros.
   c. ☐ 30 euros.

4 • Quel jour MégaJeux ouvre exceptionnellement ?

....

ACTIVITÉ 3

Vous vivez en France. Vous écoutez une émission à la radio. ////////////////////////////
Lisez les questions. Écoutez le document, puis répondez aux questions.

PISTE 20

1 • Vous pouvez gagner des places pour aller...
   a. ☐ voir un nouveau film.
   b. ☐ visiter la ville de Lyon.
   c. ☐ assister à un festival de musique.

2 • Ces places sont valables quel mois ?

....

3 • Quel numéro devez-vous appeler ?

....

4 • Pour gagner des places, vous devez...
   a. ☐ répondre à une question.
   b. ☐ reconnaître une chanson.
   c. ☐ donner votre nom et votre adresse.

ACTIVITÉ 4

Vous êtes en France. Vous écoutez cette émission à la radio. ////////////////////////////
Lisez les questions. Écoutez le document, puis répondez aux questions.

PISTE 21

1 • Quel jour est-ce que vous écoutez cette émission ?

....

2 • Pour quel public est *La Petite Fabrique du monde* ?
   a. ☐ Les enfants.
   b. ☐ Les adultes.
   c. ☐ Les adolescents.

3 • En quelle année est sorti le film *La Belle et la Bête* ?

....

4 • Si vous appelez la station de radio, vous pouvez gagner...

a. ☐   b. ☐   c. ☐

  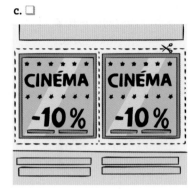

ACTIVITÉ 5

Vous écoutez ce reportage à la radio.
Lisez les questions. Écoutez le document, puis répondez aux questions.

PISTE 22

1 • Quel endroit va ouvrir ?

a. ☐   b. ☐   c. ☐

2 • Quel jour ?

3 • Les horaires du samedi sont...
- a. ☐ de 9 h à 19 h 30.
- b. ☐ de 9 h 30 à 17 h 30.
- c. ☐ de 10 h à 19 h.

4 • Combien de places offre Radio France ?

ACTIVITÉ 6

Vous écoutez cette émission de radio en Suisse.
Lisez les questions. Écoutez le document, puis répondez aux questions.

PISTE 23

1 • Dans quel sport se joue la Super Ligue ?

    a. ☐   **b.** ☐   **c.** ☐

2 • Quelle équipe a gagné le match de hockey ?

    a. ☐ Genève.

    b. ☐ Fribourg.

    c. ☐ Lausanne.

3 • L'équipe de hockey a marqué combien de buts ?

4 • Dans quel sport les Français ont gagné la coupe d'Europe ?

ACTIVITÉ 7

Vous écoutez cette émission musicale à la radio.
Lisez les questions. Écoutez le document, puis répondez aux questions.

PISTE 24

1 • Le festival dure .... jours.

2 • Quel jour commence le festival ?

3 • Cette année, combien de personnes vont au festival ?

    a. ☐ 130 000 personnes.

    b. ☐ 150 000 personnes.

    c. ☐ 170 000 personnes.

4 • Combien d'artistes participent ?

//

ACTIVITÉ 8

Vous écoutez le bulletin météo sur une radio française. //
Lisez les questions. Écoutez le document, puis répondez aux questions.

PISTE 25

1 ● Dans quelle partie de la France il fait 20 °C ?

....

2 ● Quelle est la température dans le sud ?

....

3 ● Quel temps fait-il dans l'ouest ?

a. ☐   b. ☐   c. ☐

4 ● Quelle est la température en Bretagne ?
     a. ☐ 17 °C.
     b. ☐ 18 °C.
     c. ☐ 20 °C.

ACTIVITÉ 9

Vous entendez cette publicité à la radio. //
Lisez les questions. Écoutez le document, puis répondez aux questions.

PISTE 26

1 ● Quel jour a lieu l'ouverture exceptionnelle ?

....

2 ● Quels sont les horaires ?

....

3 ● Sur quel article est-ce qu'il y a une réduction de 25 % ?

....

4 ● Quel article le magasin peut-il vous offrir ?

a. ☐   b. ☐   c. ☐

B. Dans un lieu public

ACTIVITÉ 10

Vous êtes à la gare d'Orléans, en France. Vous entendez cette annonce.
Lisez les questions. Écoutez le document, puis répondez aux questions.

PISTE 27

1 • La destination finale du train est...
   a. ❏ Blois.
   b. ❏ Tours.
   c. ❏ Saint-Pierre-des-Corps.

2 • Quel est le numéro de la voie ?

3 • À quelle heure le train arrive à Blois ?
   a. ❏ À 11 h 22.
   b. ❏ À 11 h 48.
   c. ❏ À 12 h 03.

4 • Qu'est-ce que vous devez valider ?

ACTIVITÉ 11

Vous entendez cette annonce dans un magasin en Belgique.
Lisez les questions. Écoutez le document, puis répondez aux questions.

PISTE 28

1 • Sur quel produit il y a une promotion de 20 % ?

2 • Pour quel autre produit pouvez-vous avoir une réduction ?
   a. ❏   **b.** ❏   **c.** ❏

3 • La réduction est de _____ euros.

4 • Les promotions se terminent dans...
   a. ❏ 10 minutes.
   b. ❏ 15 minutes.
   c. ❏ 20 minutes.

D comme... DELF

//

ACTIVITÉ 12

Vous êtes dans un avion, en France. Vous entendez cette annonce. //////////////
Lisez les questions. Écoutez le document, puis répondez aux questions.

PISTE 29

1 • Quel est le numéro de vol ?

....

2 • Une boisson coûte...
   a. ❑ 1 €.
   b. ❑ 2 €.
   c. ❑ 4 €.

3 • Qu'est-ce que vous pouvez manger ?
   a. ❑   **b.** ❑   **c.** ❑

4 • Vous pouvez lire un journal en quelle langue ? *(Une réponse attendue)*

....

ACTIVITÉ 13

Vous êtes dans un magasin en France. Vous entendez cette annonce. //////////////
Lisez les questions. Écoutez le document, puis répondez aux questions.

PISTE 30

1 • Le magasin ferme dans combien de temps ?

....

2 • Qu'est-ce que les clients doivent faire ?
   a. ❑ Payer à la caisse.
   b. ❑ Sortir du magasin.
   c. ❑ Participer à un jeu.

3 • Demain, le magasin ouvre à...
   a. ❑ 9 h 00.
   b. ❑ 9 h 15.
   c. ❑ 9 h 30.

4 • Demain, le magasin proposera des ....

ACTIVITÉ 14

Vous êtes à une station de tramway en France. Vous entendez cette annonce.
Lisez les questions. Écoutez le document puis répondez aux questions.

PISTE 31

1 • Quelle ligne de tramway est fermée ?
  a. ☐ La ligne 4.
  b. ☐ La ligne 8.
  c. ☐ La ligne 13.

2 • À partir de quelle heure est-elle fermée ?

....

3 • Avec le bus, vous pouvez aller à...
  a. ☐   **b.** ☐   **c.** ☐

4 • Pour aller au centre-ville, quel transport pouvez-vous utiliser ?

....

ACTIVITÉ 15

Vous êtes en vacances en France. Vous entendez cette annonce.
Lisez les questions. Écoutez le document, puis répondez aux questions.

PISTE 32

1 • Où entendez-vous cette annonce ?
  a. ☐   **b.** ☐   **c.** ☐

2 • Qui peut faire l'activité ?

3 • À quelle heure est l'activité ?

4 • Vous devez réserver...
    a. ☐ un repas.
    b. ☐ un ticket.
    c. ☐ un équipement.

ACTIVITÉ 16

Vous êtes à Rennes, en France. Vous entendez cette annonce à la gare.
Lisez les questions. Écoutez le document, puis répondez aux questions.

PISTE 33

1 • Le train annoncé est...
    a. ☐ retardé.
    b. ☐ à l'heure.
    c. ☐ supprimé.

2 • À quelle heure part le train suivant ?

3 • Le train suivant part de la voie numéro ....

4 • Pour un remboursement, où allez-vous ?
    a. ☐   **b.** ☐   **c.** ☐

ACTIVITÉ 17

Vous entendez cette annonce à l'aéroport.
Lisez les questions. Écoutez le document puis répondez aux questions.

PISTE 34

1 • Quel est le numéro du vol ?
- **a.** ❏ AF 717.
- **b.** ❏ AF 720.
- **c.** ❏ AF 817.

2 • L'embarquement commence dans combien de minutes ?

3 • Quel document devez-vous préparer ? *(Une réponse attendue)*

4 • Qui peut monter dans l'avion en premier ?

a. ❏    **b.** ❏    **c.** ❏

ACTIVITÉ 1

Vous allez entendre cinq petits dialogues. Ils correspondent à cinq situations différentes. Associez chaque dialogue à une image.

PISTE 35

Attention ! Il y a 6 images, mais 5 dialogues seulement.

A — Situation n° ....

B — Situation n° ....

C — Situation n° ....

D — Situation n° ....

E — Situation n° ....

F — Situation n° ....

Vous allez entendre cinq petits dialogues. Ils correspondent à cinq situations différentes. Associez chaque dialogue à une image.

Attention ! Il y a 6 images, mais 5 dialogues seulement.

PISTE 36

A — Situation n° ....

B — Situation n° ....

C — Situation n° ....

D — Situation n° ....

E — Situation n° ....

F — Situation n° ....

ACTIVITÉ 3

Vous allez entendre cinq petits dialogues. Ils correspondent à cinq situations différentes. Associez chaque dialogue à une image.

Attention ! Il y a 6 images, mais 5 dialogues seulement.

PISTE 37

A — Situation n° ....

B — Situation n° ....

C — Situation n° ....

D — Situation n° ....

E — Situation n° ....

F — Situation n° ....

ACTIVITÉ 4

Vous allez entendre cinq petits dialogues. Ils correspondent à cinq situations différentes. Associez chaque dialogue à une image.

PISTE 38

Attention ! Il y a 6 images, mais 5 dialogues seulement.

A

Situation n° ....

B

Situation n° ....

C

Situation n° ....

D

Situation n° ....

E

Situation n° ....

F

Situation n° ....

D comme... DELF

ACTIVITÉ 5

Vous allez entendre cinq petits dialogues. Ils correspondent à cinq situations différentes. Associez chaque dialogue à une image.

Attention ! Il y a 6 images, mais 5 dialogues seulement.

PISTE 39

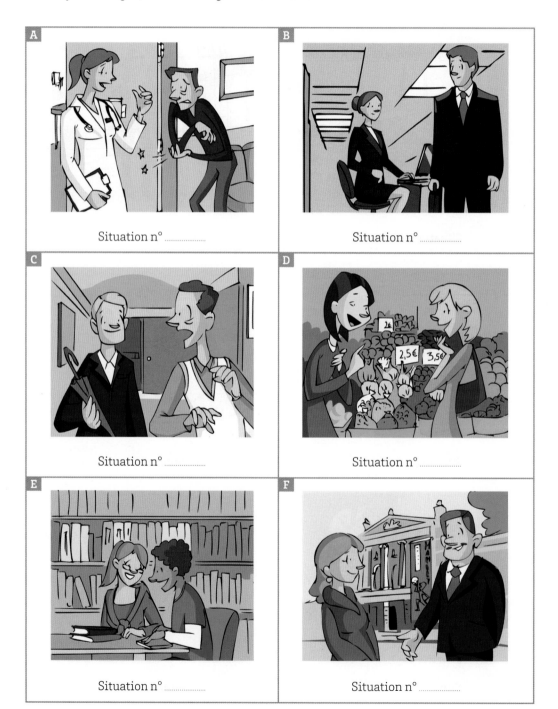

Vous allez entendre cinq petits dialogues. Ils correspondent à cinq situations différentes. Associez chaque dialogue à une image.

PISTE 40

Attention ! Il y a 6 images, mais 5 dialogues seulement.

A

Situation n° ....

B

Situation n° ....

C

Situation n° ....

D

Situation n° ....

E

Situation n° ....

F

Situation n° ....

//

ACTIVITÉ 7

Vous allez entendre cinq petits dialogues. Ils correspondent à cinq situations différentes. Associez chaque dialogue à une image.

PISTE 41

Attention ! Il y a 6 images, mais 5 dialogues seulement.

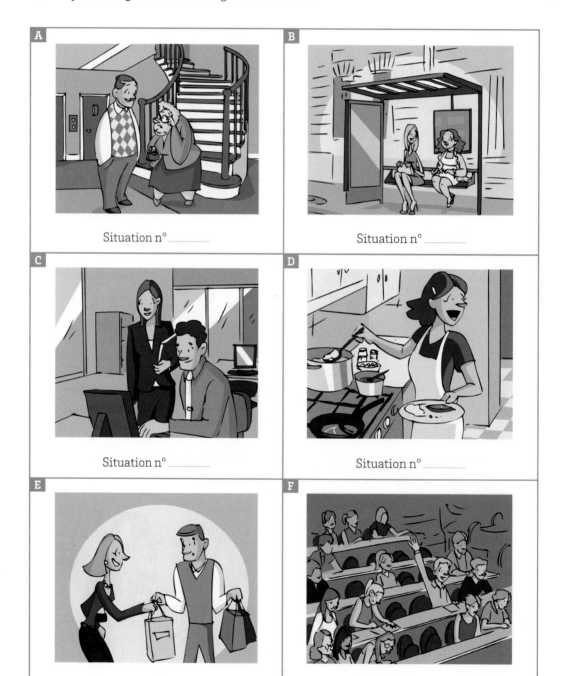

A — Situation n° ....

B — Situation n° ....

C — Situation n° ....

D — Situation n° ....

E — Situation n° ....

F — Situation n° ....

ACTIVITÉ 8

Vous allez entendre cinq petits dialogues. Ils correspondent à cinq situations différentes. Associez chaque dialogue à une image.

PISTE 42

Attention ! Il y a 6 images, mais 5 dialogues seulement.

A

Situation n° ....

B

Situation n° ....

C

Situation n° ....

D

Situation n° ....

E

Situation n° ....

F

Situation n° ....

ACTIVITÉ 9

Vous allez entendre cinq petits dialogues. Ils correspondent à cinq situations différentes. Associez chaque dialogue à une image.

PISTE 43

Attention ! Il y a 6 images, mais 5 dialogues seulement.

A — Situation n° ....

B — Situation n° ....

C — Situation n° ....

D — Situation n° ....

E — Situation n° ....

F — Situation n° ....

ACTIVITÉ 10

Vous allez entendre cinq petits dialogues. Ils correspondent à cinq situations différentes. Associez chaque dialogue à une image.

Attention ! Il y a 6 images, mais 5 dialogues seulement.

A — Situation n° ....

B — Situation n° ....

C — Situation n° ....

D — Situation n° ....

E — Situation n° ....

F — Situation n° ....

ACTIVITÉ 11

Vous allez entendre cinq petits dialogues. Ils correspondent à cinq situations différentes. Associez chaque dialogue à une image.

PISTE 45

Attention ! Il y a 6 images, mais 5 dialogues seulement.

A — Situation n° ....

B — Situation n° ....

C — Situation n° ....

D — Situation n° ....

E — Situation n° ....

F — Situation n° ....

ACTIVITÉ 12

Vous allez entendre cinq petits dialogues. Ils correspondent à cinq situations différentes. Associez chaque dialogue à une image.

PISTE 46

Attention ! Il y a 6 images, mais 5 dialogues seulement.

A — Situation n° ....

B — Situation n° ....

C — Situation n° ....

D — Situation n° ....

E — Situation n° ....

F — Situation n° ....

ACTIVITÉ 13

Vous allez entendre cinq petits dialogues. Ils correspondent à cinq situations différentes. Associez chaque dialogue à une image.

PISTE 47

Attention ! Il y a 6 images, mais 5 dialogues seulement.

A — Situation n°	**B** — Situation n° ....
C — Situation n°	**D** — Situation n° ....
E — Situation n°	**F** — Situation n° ....

ACTIVITÉ 14

Vous allez entendre cinq petits dialogues. Ils correspondent à cinq situations ///////////////
différentes. Associez chaque dialogue à une image.

Attention ! Il y a 6 images, mais 5 dialogues seulement.

PISTE 48

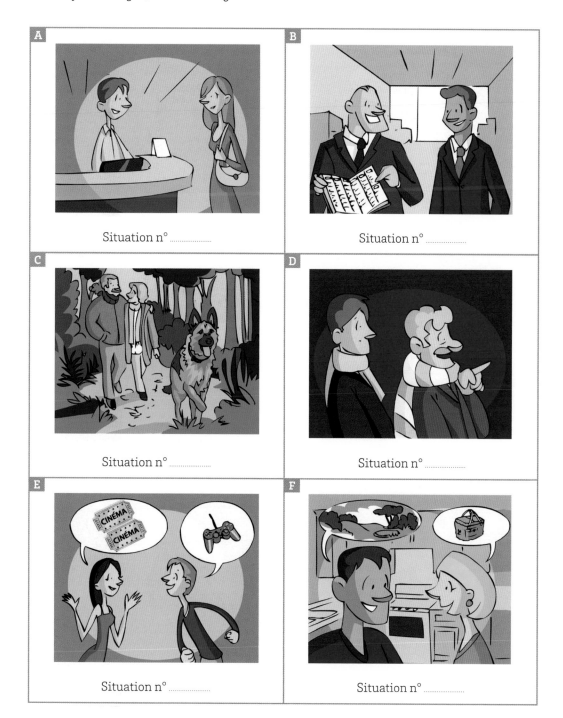

A — Situation n° ....

B — Situation n° ....

C — Situation n° ....

D — Situation n° ....

E — Situation n° ....

F — Situation n° ....

//

ACTIVITÉ 15

Vous allez entendre cinq petits dialogues. Ils correspondent à cinq situations //////////// *différentes. Associez chaque dialogue à une image.*

Attention ! Il y a 6 images, mais 5 dialogues seulement.

PISTE 49

Vous allez entendre cinq petits dialogues. Ils correspondent à cinq situations différentes. Associez chaque dialogue à une image.

Attention ! Il y a 6 images, mais 5 dialogues seulement.

PISTE 50

A

Situation n° ....

B

Situation n° ....

C

Situation n° ....

D

Situation n° ....

E

Situation n° ....

F

Situation n° ....

Compréhension des ÉCRITS

A comme... *aborder la compréhension des écrits*

Description de l'épreuve

L'épreuve de compréhension écrite est la deuxième partie des épreuves collectives du DELF A1. Elle dure **30 minutes**.

L'épreuve de compréhension écrite est notée sur **25 points** et se compose de quatres exercices :

1. Comprendre des instructions → noté sur 6 points
2. Comprendre un message pour s'orienter dans l'espace → noté sur 6 points
3. Comprendre un message pour s'orienter dans le temps → noté sur 6 points
4. Comprendre un texte informatif → noté sur 7 points

Pour vous aider...

Voici quelques conseils pour préparer l'épreuve de compréhension écrite :

1. Lecture des documents

Vous devez lire la consigne : elle explique ce qu'il faut faire pour chaque activité. Comprendre la consigne permet de bien répondre aux questions.

→ Prenez le temps de **bien lire les questions** et de **repérer les différents types de questions**. Elles peuvent aussi vous aider à comprendre le document et à répondre correctement (voir un exemple d'activité dans les parties « B comme... brancher » et « C comme... contrôler la compréhension de l'écrit »).

2. Répondre aux questions

L'ordre des questions suit l'ordre du document. La réponse de la première question est toujours au début du texte et la réponse de la dernière question est à la fin.

Il y a plusieurs types de questions :

- **Des questions où vous devez choisir et cocher (☒) la bonne réponse.**

  → Il y a une seule bonne réponse parmi les trois choix proposés (sauf si la consigne indique qu'il y a plusieurs réponses possibles).

  → Si vous avez coché une case et que vous voulez changer de réponse, cochez et entourez la case de la réponse que vous avez finalement choisie.

  a. ☒
  b. ☐
  c. ⊗ ← Cela signifie que vous choisissez la réponse c (cochée <u>et</u> entourée).

- **Des informations (chiffrées ou non chiffrées) à donner ou à compléter.**

  → Vous ne devez pas écrire une phrase entière. Vous pouvez écrire quelques mots pour répondre à la question.

  → Essayez de répondre simplement et lisiblement.

Dans les exercices où il faut comprendre un message pour s'orienter dans l'espace, il y a un plan à compléter. Vous devez tracer le trajet décrit dans le texte, pas seulement le point d'arrivée.

→ Consultez la partie *B comme... brancher* pour voir un exemple de sujet.

Exemple d'une activité à réaliser

Pour vous entraîner, réalisez l'activité suivante.

/////////// **I** | **Comprendre des instructions** ///

ACTIVITÉ 1

Vous étudiez à ABC Langues, en France. Vous lisez ce message à l'entrée de l'école. //////////////////

Chers étudiants,

Le vendredi 1er septembre, il y a des réunions d'information sur les cours de langue. Voici les horaires :
— Anglais : 17 h 15 ;
— Allemand : 18 h 00 ;
— Espagnol : 18 h 45.

Les réunions d'information durent environ 30 minutes. Vous devez confirmer votre présence en écrivant à : info@abc.eu. Pour l'inscription à un cours, il faut présenter un formulaire d'inscription et une pièce d'identité au secrétariat. Vous pouvez aussi acheter votre livre de cours.

Les cours commencent lundi.

Bonne rentrée !

Répondez aux questions. //

1 ● À quelle heure est la réunion d'information sur le cours d'allemand ?

    a. ☐   **b.** ☐   **c.** ☐

2 ● Combien de temps dure une réunion d'information ?

3 ● Comment devez-vous confirmer votre présence ?
   a. ❑ Par courriel.
   b. ❑ Par téléphone.
   c. ❑ Au secrétariat.

4 ● Pour vous inscrire, vous pouvez présenter...
   a. ❑ une carte d'identité.
   b. ❑ une carte d'étudiant.
   c. ❑ une photo d'identité.

5 ● Quel est le premier jour de cours ?

Évaluez vos réponses à la page suivante dans la partie *C comme... contrôler la compréhension des écrits.*

C comme... *contrôler la compréhension des écrits* /////////////////

Proposition de correction

Après avoir réalisé une activité, vous pouvez évaluer vos réponses à l'aide de la proposition de correction.

/////////////// **I** | **Comprendre des instructions** //

Pour l'activité que vous venez de réaliser, avez-vous bien répondu ?

1	• b.	........../1 point	
2	• (environ) 30 minutes.	........../1 point	
3	• a.	........../1 point	
4	• a.	........../1 point	
5	• Lundi.	........../2 points	

Vous avez moins de 4 points ? Regardez les conseils ci-dessous et dans la partie
A comme... aborder la compréhension écrite **et entraînez-vous avec les activités p. 51 à 99.**

ACTIVITÉ 1

Vous étudiez à ABC Langues, en France. Vous lisez ce message à l'entrée de l'école. ◄───

> Chaque exercice évalue un objectif. Ici, il faut comprendre des instructions que vous lisez à votre école de langues.

Répondez aux questions. //

1 • À quelle heure **est la réunion d'information sur le cours d'allemand ?** ◄───

> Bien lire la question aide à trouver la réponse.
> Ici, il faut trouver une information de temps. Dans cette question, vous devez identifier une heure. Dans le document, il y a trois horaires différents. Mais il y a une seule bonne réponse. Il faut cocher (☒) la réponse b.

a. ☐   **b.** ☒   **c.** ☐

2 • Combien de temps **dure une réunion d'information ?** ◄───

> Vous devez identifier une durée (*combien de temps*) comme par exemple le nombre de secondes, d'heures, de jours, etc.
> Ici, c'est une durée en minutes. La réponse est « 30 minutes ». (Vous pouvez répondre « environ 30 minutes », mais ce n'est pas obligatoire.)

(environ) 30 minutes.

3 • Comment **devez-vous confirmer votre présence ?** ◄─┐
    a. ☒ Par courriel.
    b. ☐ Par téléphone.
    c. ☐ Au secrétariat.

> Ici, il faut justifier la manière de faire quelque chose (*comment*).
> Dans la question 3, vous indiquez la manière de confirmer votre présence à une réunion. Il faut cocher (☒) la réponse a.

4 • Pour **vous inscrire, vous pouvez présenter...**
    a. ☒ une carte d'identité.
    b. ☐ une carte d'étudiant.
    c. ☐ une photo d'identité.

5 • Quel **est le premier** jour **de cours ?** ◄───

> Il faut identifier une information. Il peut s'agir d'une information sur une personne, un événement, une activité, un lieu ou de temps.
> Dans la question 5, il faut repérer le moment où les cours commencent. Ici, c'est le jour. Vous devez répondre « lundi ».

Lundi.

Pour préparer l'épreuve de compréhension écrite, réalisez les activités suivantes. Pensez à appliquer les recommandations données dans la partie *A comme... aborder la compréhension écrite.*

I Comprendre des instructions

A. Dans la vie quotidienne

ACTIVITÉ 2

Vous habitez en France. Vous recevez ce courriel d'une amie française.

De : estelle@fmail.fr
Objet : Ce soir

Salut,

J'ai une réunion importante sur les horaires au travail. Je ne peux pas acheter les ingrédients pour faire le crumble au potiron. Peux-tu acheter du parmesan, deux piments et du beurre ?
Je rentre du travail à 17 h, est-ce que tu peux venir à 18 h ? Nous serons 4 ce soir. Fabienne et Félice viennent dîner à 20 h.

Merci et bisous !

Estelle

Répondez aux questions.

1 • Quel est le thème de la réunion ?

....

2 • Estelle va faire un crumble. Quel est l'ingrédient principal ?
    a. ☐ Le piment.
    b. ☐ Le potiron.
    c. ☐ Le parmesan.

3 • Que devez-vous acheter ?
    a. ☐   **b.** ☐   **c.** ☐

4 • À quelle heure devez-vous aller chez Estelle ?
    a. ☐ 17 h.
    b. ☐ 18 h.
    c. ☐ 20 h.

5 • Combien de personnes vont dîner ce soir ?

....

///

ACTIVITÉ 3

Vous habitez en France. Vous recevez ce courrier de votre club de sport. ///////////////////////////////////

Bienvenue à notre club de sport.

Pour utiliser la salle, vous devez avoir l'équipement suivant :
- un tee-shirt ;
- un short ou un pantalon de sport ;
- une paire de chaussures de sport propres (à utiliser seulement à l'intérieur du club).

Nous vous conseillons de boire de l'eau ou une boisson isotonique pendant votre entraînement sportif.

La salle ouvre tous les jours de 8 h à 20 h, sauf le dimanche : fermeture à 15 h.

G. Jacquet

Responsable de la salle **Top Sport**

Répondez aux questions. ///

1 • Comment devez-vous vous habiller ?

    a. ☐   **b.** ☐   **c.** ☐

2 • **Vous devez utiliser vos chaussures de sport...**
    a. ☐ dehors.
    b. ☐ dans la salle de fitness.
    c. ☐ dehors et dans la salle de fitness.

3 • **Qu'est-ce qu'il faut boire ?** *(Une réponse attendue)*

....

4 • **Le samedi, à quelle heure ferme la salle ?**

....

5 • **Qui est monsieur Jacquet ?**

....

ACTIVITÉ 4

Vous étudiez en France. Vous partagez un appartement avec deux Français.
Ils vous laissent ce message.

> Salut !
>
> Nous allons manger une crêpe chez Suzette, dans la rue Sainte-Anne. Après,
> nous allons voir « Au-delà du sang » au cinéma. C'est un film de suspense.
> Le cinéma est près du musée d'art contemporain, dans la rue des Artistes. Tu peux
> réserver une place au 0 810 310 311. La place coûte 8 €.
>
> Si tu viens, rendez-vous ce soir, à 19 h, on se retrouve à la place Blanche.
>
> À plus tard ☺
>
> Thomas et David

Répondez aux questions.

1 • Thomas et David vont manger...

a. ☐

b. ☐

c. ☐

2 • Quel est le genre du film *Au-delà du sang* ?

....

3 • À quelle adresse est le cinéma ?
   a. ☐ Place Blanche.
   b. ☐ Rue des Artistes.
   c. ☐ Rue Sainte-Anne.

4 • Pour réserver une place, vous devez...
   a. ☐ téléphoner.
   b. ☐ aller au cinéma.
   c. ☐ vous connecter sur Internet.

5 • À quelle heure est-ce que vous avez rendez-vous ?

....

ACTIVITÉ 5

Vous habitez en Belgique. Vous lisez ce message.

> De : isa@fmail.be
> Objet : Surprise
>
> ---
>
> Salut,
>
> On va faire une surprise à Mélanie. Maintenant, elle a un nouvel appartement. Alors, nous allons lui faire des cadeaux : des objets de décoration. Inès s'occupe des cadeaux. Nathan vient avec les boissons. Moi, je vais faire une quiche lorraine. Est-ce que tu peux faire une salade composée ? Attention ! C'est un secret. Ne dis rien à Mélanie. Rendez-vous demain, à 20 h.
>
> Bises,
>
> Isabelle

Répondez aux questions.

1 • Mélanie a un nouveau...
   a. ❑ travail.
   b. ❑ véhicule.
   c. ❑ logement.

2 • À quoi vont servir les cadeaux pour Mélanie ?
   a. ❑ À peindre.
   b. ❑ À décorer.
   c. ❑ À nettoyer.

3 • Qu'est-ce que Nathan va apporter ?
   a. ❑   **b.** ❑   **c.** ❑

4 • Qu'est-ce que vous devez apporter .

_____

5 • Quand est-ce que vous avez rendez-vous ? *(Une réponse attendue)*

_____

///

ACTIVITÉ 6

Vous habitez en Suisse. Votre colocataire vous laisse ce message. ///////////////////////////////////////

> Pour l'anniversaire de Guillaume, je fais
> un gâteau au chocolat. Est-ce que tu peux
> acheter : – de la farine
>   – 6 œufs
>   – 1 litre de lait
>   – du sucre vanillé
> J'ai les autres ingrédients. Je fais le gâteau
> ce soir, avant la fête ☺ –   *Élisa*

Répondez aux questions. ///

1 • Pour quelle occasion Élisa fait-elle un gâteau ?

....

2 • Quel est l'ingrédient principal du gâteau ?
a. ☐   b. ☐   c. ☐

3 • Combien d'œufs faut-il ?

....

4 • De quelle quantité de lait avez-vous besoin ?

....

5 • Quand est-ce qu'Élisa fait le gâteau ? *(Une réponse attendue)*

....

B. Dans un lieu public

ACTIVITÉ 7

Vous étudiez le théâtre en France. Vous lisez cette affiche à l'école de théâtre.

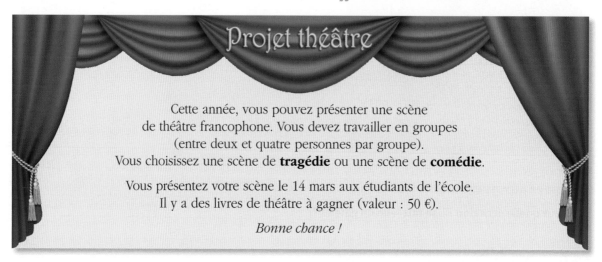

Projet théâtre

Cette année, vous pouvez présenter une scène
de théâtre francophone. Vous devez travailler en groupes
(entre deux et quatre personnes par groupe).
Vous choisissez une scène de **tragédie** ou une scène de **comédie**.

Vous présentez votre scène le 14 mars aux étudiants de l'école.
Il y a des livres de théâtre à gagner (valeur : 50 €).

Bonne chance !

Répondez aux questions.

1 • Vous pouvez choisir une scène écrite en...
   a. ☐ grec.
   b. ☐ français.
   c. ☐ espagnol.

2 • Vous préparez votre scène...
   a. ☐ seul.
   b. ☐ avec des étudiants.
   c. ☐ avec un professeur.

3 • Quel jour devez-vous présenter la scène ?

....

4 • À qui ?

....

5 • Quelle est la récompense ?
   a. ☐   **b.** ☐   **c.** ☐

ACTIVITÉ 8

Vous êtes à la Réunion. Vous lisez cette affiche dans la rue.

Location de rollers

Venez chez *Roller +*. Nous avons beaucoup de modèles disponibles. Les tailles vont du 25 au 48.

La location coûte 8,50 € pour 24 heures, 15 € pour 48 heures.

Pour vous inscrire, vous devez avoir 16 ans au moins et présenter une pièce d'identité (les permis de conduire ne sont pas acceptés).

Roller + est ouvert   » du lundi au samedi de 10 h à 19 h ;
                         » et le dimanche, de 11 h à 17 h.

Répondez aux questions.

1 • Qu'est-ce que vous pouvez louer ?

....

2 • Quelle est la plus grande taille disponible ?

....

3 • Quel est l'âge minimum pour s'inscrire ?
   a. ☐ 15 ans.
   b. ☐ 16 ans.
   c. ☐ 17 ans.

4 • Quel document pouvez-vous présenter pour vous inscrire ?
   a. ☐   **b.** ☐   **c.** ☐

5 • Le jeudi, *Roller +* est ouvert...
   a. ☐ de 10 h à 17 h.
   b. ☐ de 10 h à 19 h.
   c. ☐ de 11 h à 19 h.

///

ACTIVITÉ 9

Vous lisez cette affiche dans la rue de Cayenne, en Guyane. //

Concours de cuisine

La Maison de la Ville organise le concours
« les 1 000 saveurs de l'ananas ».

Pour participer, vous devez :
◉ venir à la Maison de la Ville le samedi 7,
de 9 h à 12 h ;
◉ préparer un plat avec l'ananas
comme ingrédient obligatoire.

1er prix : 200 €.
2e prix : un livre
de recettes

⟹ **Inscription** : appelez le **05 94 18 14 11.**

Répondez aux questions. //

1 ● Qui organise le concours ?

....

2 ● Quel jour est le concours ?

....

3 ● Quel est l'ingrédient principal ?
a. ☐   **b.** ☐   **c.** ☐

4 ● Qu'est-ce que vous pouvez gagner ? *(Une réponse attendue)*

....

5 ● Comment pouvez-vous vous inscrire ?
a. ☐ Par fax.
b. ☐ Par courriel.
c. ☐ Par téléphone.

ACTIVITÉ 10

Vous lisez cette affiche à un arrêt d'autobus.

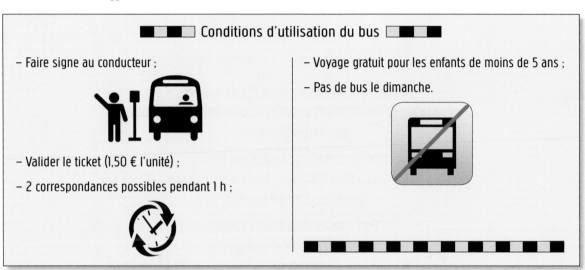

■■□■□ Conditions d'utilisation du bus □■□■■

– Faire signe au conducteur ;

– Valider le ticket (1,50 € l'unité) ;

– 2 correspondances possibles pendant 1 h ;

– Voyage gratuit pour les enfants de moins de 5 ans ;

– Pas de bus le dimanche.

Répondez aux questions.

1 • Quel transport prenez-vous ?

    a. ☐   b. ☐   c. ☐

2 • À qui devez-vous faire signe ?

....

3 • Combien coûte le ticket ?
    a. ☐ 1 €.
    b. ☐ 1,50 €.
    c. ☐ 2 €.

4 • Pendant combien de temps est-ce que vous pouvez voyager ?

....

5 • Quel jour est-ce que vous ne pouvez pas prendre le bus ?

....

ACTIVITÉ 11

Vous habitez en Suisse. Vous lisez ce tract.

ÉVÉNEMENT

Rencontrez vos voisins !

La semaine prochaine, c'est la fête du quartier.
C'est l'occasion de rencontrer vos voisins et de découvrir les rues décorées
pour cette célébration.

L'événement a lieu à la salle des fêtes.
Il y a un stand pour boire et manger : jus de fruits, croissants, etc.
Le café est offert par la mairie.

Pour 2 francs, vous pouvez acheter
le guide du quartier pour découvrir
les activités.

Pour plus de renseignements,
appelez le **022 346 1812**.

Répondez aux questions.

1 • Quand est l'événement ?

....

2 • Où ?
    a. ❑ À la mairie.
    b. ❑ Dans la rue.
    c. ❑ À la salle des fêtes.

3 • Qu'est-ce qui est servi gratuitement ?
    a. ❑   **b.** ❑   **c.** ❑

4 • Combien coûte le guide du quartier ?

....

5 • Pour avoir plus d'informations, qu'est-ce que vous devez faire ?

....

C. Dans une annonce ou un mode d'emploi

ACTIVITÉ 12

Vous habitez en Belgique. Vous lisez cette annonce sur Internet.

http://www.petites-annonces.be/cine

Recherche

Accueil | Culture | Mes favoris | **PETITES ANNONCES** | Recherche personnalisée OK

Pour les amateurs de science-fiction

Je vends le DVD de *La Guerre étoilée – épisode 2* et un poster en édition limitée pour 30 euros. Je vends aussi le jeu vidéo de *La Guerre étoilée* pour 15 euros. La boîte est cassée, mais le jeu fonctionne bien. Appelez-moi au 071 46 54 79 si vous voulez plus de renseignements.
Je suis disponible tous les soirs à partir de 19 h, sauf le samedi.
Patrick

Répondez aux questions.

1 ● Patrick vend...

   a. ☐   **b.** ☐   **c.** ☐

2 ● Combien coûte le jeu vidéo ?

   a. ☐ 15 €.
   b. ☐ 30 €.
   c. ☐ 45 €.

3 ● Comment est la boîte du jeu vidéo ?

   a. ☐   **b.** ☐   **c.** ☐

4 ● Pour plus de renseignements, quel numéro devez-vous appeler ?

....

ACTIVITÉ 13

Vous lisez cette publicité dans un magazine francophone.

ASSISTEZ À L'ÉMISSION *PLATINE 78*

Pour assister à l'émission musicale *PLATINE 78* du 18 octobre, vous devez :
- remplir le formulaire en ligne sur www.platine78.fr/concours ;
- raconter votre passion pour la musique ;
- avoir 16 ans ou plus.

Dates d'inscription : du 21 au 31 septembre.

PARTICIPEZ VITE !
Les cinq premiers candidats sélectionnés
rencontreront le chanteur Dave Ranskis après l'émission télévisée.

Répondez aux questions.

1 • Quel est le thème de l'émission ?

   a. ☐   **b.** ☐   **c.** ☐

2 • Quel âge devez-vous avoir pour participer ?
   a. ☐ 16 ans.
   b. ☐ 18 ans.
   c. ☐ 21 ans.

3 • Combien de candidats peuvent rencontrer Dave Ranskis ?

....

4 • Quel est la profession de Dave Ranskis ?

....

5 • L'émission est diffusée...
   a. ☐ à la radio.
   b. ☐ sur Internet.
   c. ☐ à la télévision.

ACTIVITÉ 14

Vous vivez en France. Vous consultez ce site Internet.

MARATHON DE PARIS

Accueil Inscription La course Infos pratiques

↘ INFOS PRATIQUES

RÈGLEMENT ET INSCRIPTIONS

Le prochain marathon de Paris a lieu le dimanche 6 avril. Les inscriptions ferment le 9 janvier, à 17 h (heure locale).

Le jour du marathon, les participants doivent avoir 18 ans ou plus. Les mineurs de 16 ans et plus doivent avoir la permission de leurs parents. La compétition est interdite aux moins de 16 ans.

Trois jours avant le marathon, il faut présenter un certificat médical. Pour plus d'informations, appelez le 01 41 33 15 68.

Répondez aux questions.

1 • À quelle date se terminent les inscriptions ?

....

2 • À quelle heure ?

....

3 • Un participant peut s'inscrire avec la permission de ses parents s'il a...
    a. ☐ 15 ans.
    b. ☐ 17 ans.
    c. ☐ 19 ans.

4 • Quel document devez-vous présenter avant le marathon ?

....

5 • Pour avoir plus de renseignements, que devez-vous faire ?

....

///

ACTIVITÉ 15

Vous lisez ces instructions. ///

Lecteur MP3 – mode d'emploi (modèle ABC'14)

– Pour allumer le lecteur, mettez le bouton principal en position ON (ON).
– Pour mettre en veille, maintenez la touche ■ enfoncée pendant 5 secondes. Le message « Au revoir ! » apparaît sur l'écran.
– Pour lire une chanson, appuyez sur ▶. Pour mettre en pause, appuyez sur ■.
– Appuyez sur ◀◀ ou ▶▶ pour changer la chanson.
– Pour régler le volume, appuyez sur ◀)) pendant 2 secondes, puis sur (–) pour diminuer le volume ou (+) pour l'augmenter.
– Pour écouter la radio, appuyez sur ♫ pendant 3 secondes.

Répondez aux questions. ///

1 • C'est le mode d'emploi de...

    a. ☐   **b.** ☐   **c.** ☐

2 • Pour mettre en veille, pendant combien de secondes devez-vous appuyer sur ■ ?

....

3 • Quel message indique que le lecteur est en veille ?

....

4 • Pour modifier le volume, vous appuyez d'abord sur...

    a. ☐ ◀◀

    b. ☐ ▶▶

    c. ☐ ◀))

5 • Pour écouter la radio, vous devez appuyer sur...

    a. ☐ ▶

    b. ☐ ♫

    c. ☐ (ON)

//

ACTIVITÉ 16

Vous jouez à un jeu avec des amis francophones. Vous lisez ces instructions. ///////////////////////

RÈGLES DU TABOU

Le **TABOU** se joue toujours à deux équipes. Il faut deux joueurs ou plus dans chaque équipe.

Un joueur choisit une carte. Sur cette carte, il y a un mot à faire deviner à son équipe. Mais il y a aussi une liste de 5 mots : ce sont les mots tabous. Il est interdit de les prononcer.

Le joueur a 7 minutes pour faire deviner un maximum de mots à son équipe.

○ Si un mot est trouvé : + 1 point.
○ Si un mot tabou est prononcé : - 1 point.
○ Si un mot tabou est traduit dans une autre langue : - 1 point.

CE JEU DE RÉFLEXION ET DE RAPIDITÉ EXISTE DEPUIS 1990.

Répondez aux questions. ///

1 ● Dans chaque équipe, il faut un minimum de...
    a. ❑ 1 joueur.
    b. ❑ 2 joueurs.
    c. ❑ 4 joueurs.

2 ● Pour ce jeu, vous utilisez...
    a. ❑   **b.** ❑   **c.** ❑

3 ● Vous avez combien de minutes pour faire deviner des mots ?

....

4 ● Vous perdez un point...
    a. ❑ si vous n'êtes pas rapide.
    b. ❑ si vous prononcez un mot tabou.
    c. ❑ si vous donnez la bonne réponse.

5 ● Quel genre de jeu est la Tabou ? *(Une réponse attendue)*

....

ACTIVITÉ 17

Vous jouez à un jeu avec des amis francophones. Vous lisez ces instructions.

  Dessiner, c'est gagner !

Il faut entre 4 et 8 participants. Chaque joueur joue seul.

◉ Pendant un tour de jeu, un joueur reçoit un mot et il le dessine.
Ce joueur s'appelle le dessinateur. Les autres joueurs doivent
deviner le mot.

◉ Un tour dure 2 minutes, sauf si quelqu'un trouve le mot avant.

◉ Si quelqu'un devine le mot, le dessinateur reçoit 20 points.
Le joueur qui devine le mot reçoit 10 points. Si le mot n'est pas
deviné, personne ne gagne de points.

◉ Le joueur qui a le plus de points gagne la partie.

⚠ Il est interdit de dessiner des lettres !

Répondez aux questions.

1 ● Pour jouer, vous avez besoin de...

    a. ☐   **b.** ☐   **c.** ☐

 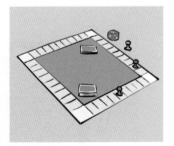 

2 ● Combien de personnes peuvent jouer ?

    a. ☐ 2.

    b. ☐ 8.

    c. ☐ 10.

3 ● Combien de temps dure un tour ?

....

4 ● Qui peut gagner 20 points ?

    a. ☐ Personne.

    b. ☐ Le joueur qui devine le mot.

    c. ☐ Le joueur qui dessine le mot.

5 ● Qu'est-ce que vous ne pouvez pas dessiner ?

....

II S'orienter dans l'espace et dans le temps

A. Message d'un ami ou d'un collègue

ACTIVITÉ 1

Vous habitez en Belgique. Votre amie belge vous envoie ce courriel.

De : marie@abc.be
Objet : Informations

Salut !

Je suis allée à l'école de musique. Voici les horaires :
• Cours de piano : tout public.
Jeudi : 17 h-20 h. Samedi : 9 h-12 h ou 13 h 30-16 h 30.
• Cours de guitare : tout public.
Mardi : 17 h-20 h. Mercredi : 9 h 30-12 h 30 (ouvert aux enfants seulement). Samedi : 9 h-12 h.

On peut aller à l'école de musique en tramway : c'est la ligne B, arrêt *Eugène Vignat.* Il faut prendre la rue Saint-Victor, puis tourner à droite pour prendre la rue de la Gare. Ensuite, c'est la deuxième à gauche, au 18 rue Mozart.

Si tu veux venir avec moi, appelle-moi.
Bisous,
Marie

Répondez aux questions.

1 • Quel jour est-ce que vous ne pouvez pas apprendre le piano ?
 a. ❑ Mardi. **b.** ❑ Jeudi. **c.** ❑ Samedi.

2 • À quel public est ouvert le cours du mercredi matin ?

3 • À quelle station de tramway devez-vous descendre ?
 a. ❑ Mozart. **b.** ❑ Saint-Victor. **c.** ❑ Eugène Vignat.

4 • Dessinez sur le plan le trajet pour aller à l'école de musique.

5 • L'école est à quel numéro ?

///

ACTIVITÉ 2

Vous habitez à Tours, en France. Vous lisez ce courriel d'un ami. //

De : jean-pierre@fmail.fr
Objet : Bowling

Coucou,

Est-ce que tu veux venir au bowling avec Manu, Hélène et moi ? Nous avons rendez-vous mercredi, à 20 h 30. C'est ouvert jusqu'à 1 heure du matin.
L'entrée coûte 5 € et la location des chaussures 2 €.
Le thème de la soirée est le printemps !

Appelle-moi pour me confirmer !

Jean-Pierre

Répondez aux questions. //

1 • Où avez-vous rendez-vous ?

a. ☐   b. ☐   c. ☐

2 • Quel jour ?

....

3 • À quelle heure ?

....

4 • Combien coûte l'entrée ?

....

5 • Quel est le thème de la soirée ?

....

//

ACTIVITÉ 3

Vous habitez à Liège, en Belgique. Vous recevez ce courriel d'une amie. ////////////////////////////////////

De : cecile@fmail.be
Objet : DVD pour ce soir

Salut,

Je t'écris pour ce soir. Je peux venir, mais je ne peux pas aller louer le DVD. Je reviens de Bruxelles à 20 h et le vidéoclub ferme à 19 h 30. Tu peux aller chercher le DVD pour moi ? Le film s'appelle *L'assassin habite au 21.* Il est dans l'allée 18, au rayon « Films policiers ». C'est facile à trouver : tu entres dans le vidéoclub, tu vas tout droit, au fond du magasin. Le rayon « Films policiers » est à gauche, près du distributeur de boissons. La location est de 2,50 € pour une durée de 24 h.

Bises
C.

Répondez aux questions. //

1 • Votre amie écrit pour…
   a. ☐ annuler le rendez-vous.
   b. ☐ reporter le rendez-vous.
   c. ☐ confirmer le rendez-vous.

2 • Vous pouvez aller au magasin jusqu'à…
   a. ☐ 18 h 00.
   b. ☐ 19 h 30.
   c. ☐ 20 h 00.

3 • Comment s'appelle le film ?

4 • Dessinez sur le plan le trajet pour trouver le DVD.

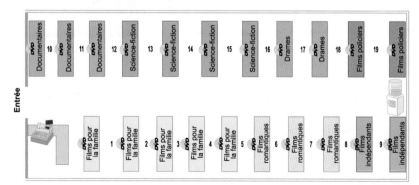

5 • Pendant combien de temps pouvez-vous louer le DVD ?

ACTIVITÉ 4

Vous habitez en France. Vous trouvez ce message de votre voisine dans votre boîte aux lettres. /////

Coucou,

Samedi, est-ce que tu veux venir au parc d'attractions avec moi ? J'ai rendez-vous là-bas avec mon frère et sa femme. Je les retrouve à 10 h devant la nouvelle attraction : LE TRAIN FOU !!

L'entrée coûte 17 € sur place, mais si nous réservons sur Internet, elle est à 14 €. Appelle-moi au 06 49 64 78 87 pour confirmer.

Bisous,
Lauriane

Répondez aux questions. ///

1 • Quel jour est-ce que Lauriane a rendez-vous ?

2 • À quelle heure ?

3 • Où ?
a. ☐   b. ☐   c. ☐

4 • Sur place, l'entrée coûte...
a. ☐ 10 €.
b. ☐ 14 €.
c. ☐ 17 €.

5 • Que devez-vous faire pour confirmer le rendez-vous ?

ACTIVITÉ 5

Vous travaillez en France. Vous recevez ce courriel d'un collaborateur.

De : eric.dujardin@lecturama.fr
Objet : Salon du livre

Bonjour,

Le salon du livre ouvre demain, de 9 h à 18 h.
Je vous donne rendez-vous à 15 h. Je vais vous présenter le nouveau roman policier de Christine Agathe, *Dix petits hommes*.
Pour trouver le stand, il faut prendre l'allée centrale et tourner à droite après le stand *Jeunesse*.
C'est le 3ᵉ stand à votre gauche, à côté de l'ascenseur. Je vous donnerai dix exemplaires du livre.

Cordialement,

É. Dujardin
Directeur éditorial

Répondez aux questions.

1 • À quelle heure est-ce que vous avez rendez-vous ?
   a. ☐ À 9 h.   **b.** ☐ À 15 h.   **c.** ☐ À 18 h.

2 • Quel type de roman écrit Christine Agathe ?
   a. ☐   **b.** ☐   **c.** ☐

3 • Quel est le titre du livre ?

4 • Dessinez sur le plan le trajet pour trouver le lieu du rendez-vous.

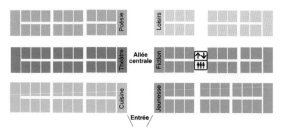

5 • Combien d'exemplaires du livre est-ce que monsieur Dujardin va vous donner ?

ACTIVITÉ 6

Vous habitez en France. Un ami français vous envoie ce message.

De : ludovic.potiche@fmail.fr
Objet : Randonnée

Bonjour,

Ça va ? Le 18 mai, je vais faire une randonnée avec des amis. Tu veux venir ? Nous partons à 8 h, nous faisons un pique-nique à midi et nous revenons le soir vers 17 h 30.
Nous partons du gymnase Pierre de Coubertin. De chez toi, tu vas jusqu'à la place de la Commune et tu tournes à gauche sur la rue du Petit Bois. C'est à droite, en face de la bibliothèque.
Confirme-moi ta présence samedi, avant 19 h 30.

À bientôt,
Ludo

Répondez aux questions.

1 • À quelle heure est le rendez-vous ?

....

2 • Où mangez-vous ?

a. ☐    b. ☐    c. ☐

3 • À quelle heure finit l'activité ?
   a. ☐ À 17 h 30.   b. ☐ À 18 h 00.   c. ☐ À 19 h 30.

4 • Dessinez sur le plan le trajet pour arriver au lieu du rendez-vous.

5 • Quel jour devez-vous confirmer votre présence ?

....

///

ACTIVITÉ 7

Vous habitez en Suisse. Vous recevez ce courriel de votre ami. //

De : jimmy@fmail.fr
Objet : RE : Ce week-end

Bonjour,

Merci pour ton message. Je ne suis pas disponible ce week-end. Samedi, je vais au lac Léman avec deux amis. Mais tu peux venir avec nous si tu veux. Je peux passer chez toi à 9 h 00, je retrouve mes amis à 10 h 30. Et j'ai une nouvelle voiture : elle est rouge !
Si tu es d'accord, donne-moi une réponse jeudi soir, avant 8 h du soir.

À bientôt !
Jimmy

Répondez aux questions. //

1 • Où va Jimmy ?

....

2 • Combien d'amis accompagnent Jimmy ?

....

3 • À quelle heure est-ce qu'il vient chez nous ?
   a. ❑ À 8 h 00.
   b. ❑ À 9 h 00.
   c. ❑ À 10 h 30.

4 • De quelle couleur est la voiture ?

....

5 • Avant quel jour devez-vous répondre à Jimmy ?

....

///

ACTIVITÉ 8

Vous étudiez le français à l'Alliance Française de Toulouse, en France. Votre professeur envoie un courriel à votre classe. ///

De : simon@af-toulouse.fr
Objet : Sortie au musée

Bonjour tout le monde,

Nous allons au Musée des Augustins samedi. Nous avons rendez-vous à 9 h 45 devant le musée. Si vous utilisez les transports publics, descendez à la station *Esquirol* (ligne A du métro ou lignes 2 et 10 du bus). Quand vous sortez de la station, vous montez la rue des Changes. Vous tournez à droite, sur la place Esquirol. Puis, vous continuez sur la rue de Metz. Le musée se trouve à gauche, au numéro 21.

J'ai réservé les entrées. Le tarif normal est de 4 €, mais nous sommes un groupe de 17 personnes, alors cela va coûter seulement 2 € par personne.

À samedi prochain,
Simon Vanlin

Enseignant et coordinateur pédagogique
AF de Toulouse

Répondez aux questions. //

1 ● Où allez-vous samedi ?

    a. ☐   **b.** ☐   **c.** ☐

2 ● Quel transport s'arrête à la station *Esquirol* ? *(Une réposne attendue)*

....

3 ● Dessinez sur le plan le trajet pour aller au lieu du rendez-vous.

4 ● À quel numéro se trouve le lieu du rendez-vous ?

    a. ☐ 4.
    b. ☐ 10.
    c. ☐ 21.

5 ● Combien allez-vous payer l'entrée ?

....

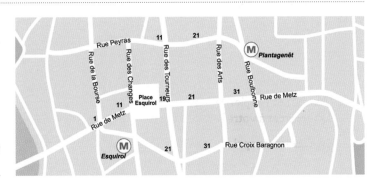

ACTIVITÉ 9

Vous retrouvez un ami à Albi, en France. Il vous envoie ce courriel.

De : tony@fmail.fr
Objet : Visite

Salut,

Je suis arrivé à Albi. J'ai fait bon voyage et l'hôtel Tassigny est très bien.
On se voit demain ? Je te propose de visiter la cathédrale Sainte-Cécile. Tu passes à mon hôtel à 10 h 00 ? De l'hôtel, il faut marcher jusqu'aux lices Georges Pompidou et tourner à gauche. Ensuite, on prend la rue Malroux, à droite. On continue sur la rue Mariès et on tourne à gauche sur la rue Sainte-Cécile. La cathédrale est dans cette rue.

Après la visite, on peut manger au restaurant.
Envoie-moi un mail ou un sms pour confirmer.

À demain,
Tony

Répondez aux questions.

1 • Où loge votre ami ?

a. ☐

b. ☐

c. ☐

2 • Qu'est-ce qu'il propose de visiter ?

a. ☐

b. ☐

c. ☐

3 • À quelle heure avez-vous rendez-vous avec votre ami ?

....

4 • Dessinez sur le plan le trajet pour arriver à votre lieu de visite.

5 • Où allez-vous après la visite ?

....

ACTIVITÉ 10

Vous travaillez en France. Vous lisez ce message d'un collègue de travail.

> De : jean-mi.laquille@auchour.fr
> Objet : Rendez-vous client
>
> ---
>
> Bonjour,
>
> Nous rencontrons notre client au centre commercial de la Rotonde demain, à 11 h 00. Nous avons rendez-vous à *La fringue chic,* sa boutique de vêtements. Pour trouver le magasin, vous prenez l'entrée nord et vous allez à gauche. Vous passez devant cinq boutiques. Puis, vous allez à droite. *La fringue chic* est en face du point d'informations. Si vous vous perdez, appelez-moi sur mon portable. C'est le 06 85 05 02 79.
>
> Cordialement,
>
> Jean-Michel LAQUILLE
> Commercial

Répondez aux questions.

1 • Votre collègue et vous, qui devez-vous rencontrer ?

2 • Où ?

3 • La personne que vous allez rencontrer vend...
   a. ☐   b. ☐   c. ☐

4 • Dessinez sur le plan le trajet pour trouvez le magasin.

5 • Comment pouvez-vous contacter votre collègue ?

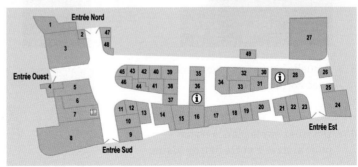

ACTIVITÉ 11

Vous recevez ce message de votre amie belge.

> De : paupau@coldmail.fr
> Objet : Ski
>
> ---
>
> Salut !
>
> Samedi, je vais à la montagne. Je vais faire du ski avec mes parents. Est-ce que tu veux venir ?
> Si tu veux, je viens te chercher en voiture à la bibliothèque à 8 h 30. C'est facile : quand tu sors
> de chez toi, tu prends la rue Molière. Tu marches jusqu'à la place de la Fontaine. Puis, tu tournes
> à gauche, rue Émile Zola. La bibliothèque est en face d'une pharmacie.
>
> Appelle-moi ! Bisous ☺
>
> Pauline

Répondez aux questions.

1 • Pauline vous invite...
   a. ❑ au musée.
   b. ❑ à la montagne.
   c. ❑ à la bibliothèque.

2 • Avec qui ?

....

3 • Quel moyen de transport est-ce que Pauline utilise ?

....

4 • À quelle heure est-ce que Pauline vous donne rendez-vous ?

....

5 • Dessinez sur le plan le trajet pour aller au lieu du rendez-vous.

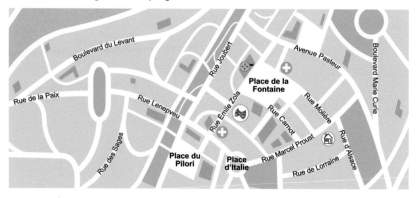

///

B. Dans un lieu public ou dans la presse

ACTIVITÉ 12

Vous habitez à Nantes, en France. Vous lisez ces horaires sur la porte d'un magasin. /////////////

Traiteur* La Gastronomie du plaisir

56 rue de la Bretonnerie
44000 Nantes

Horaires : • du mardi au jeudi :
            de 8 h 30 à 12 h 30 et de 14 h 15 à 18 h 00.
          • les vendredi et samedi :
            de 8 h à 12 h 30 et de 14 h 30 à 19 h 15.
          • Fermé le lundi.

Ouverture exceptionnelle
pour les fêtes de fin d'année : les 24 et 31 décembre,
nous ouvrons jusqu'à 20 h 30, sans interruption.

* : personne qui vend des plats cuisinés frais.

Répondez aux questions. //

1 • Quel est le code postal de Nantes ?

....

2 • Le mercredi après-midi, à quelle heure ouvre le magasin ?

....

3 • Quel jour est-ce que le magasin est fermé ?

....

4 • Pour quelle raison le magasin ouvre exceptionnellement ?

....

5 • Le 31 décembre, le magasin ouvre jusqu'à...
     a. ❑ 18 h 00.
     b. ❑ 19 h 15.
     c. ❑ 20 h 30.

ACTIVITÉ 13

Vous habitez en France. Vous lisez cette affiche dans la rue.

Activités de la Maison du quartier

- **Arts plastiques** : pour les adultes et les enfants.
Jeudi : 17 h 30 - 19 h 30.
      Tarifs : 12 € par trimestre (6 € pour les 6-12 ans).
Samedi : 15 h 00 - 17 h 00.

- **Cuisine pédagogique** : pour les adultes.
Jours et horaires : à déterminer.
Nous cherchons un animateur pour cet atelier.

- **L'atelier du mercredi** : bricolage, couture, musique… le thème change chaque mercredi !
Horaires : 10 h 00 - 11 h 45.
      Tarifs : adultes : 2 €
              enfants : 0,50 €

Répondez aux questions.

1 • Combien d'ateliers sont pour les enfants ?

_____

2 • L'atelier d'arts plastiques n'est pas proposé le...
  a. ☐ mercredi.   **b.** ☐ jeudi.   **c.** ☐ samedi.

3 • Pour quel atelier il faut un animateur ?
  a. ☐   **b.** ☐   **c.** ☐

4 • L'atelier du mercredi est ouvert...
  a. ☐ de 10 h 00 à 11 h 45.
  b. ☐ de 11 h 45 à 17 h 00.
  c. ☐ de 15 h 00 à 17 h 00.

5 • Qui doit payer 2 euros pour l'atelier du mercredi ?

_____

ACTIVITÉ 14

Vous lisez cette affiche à la gare.

MODIFICATIONS D'HORAIRES POUR CAUSE DE TRAVAUX.

	Du lundi au vendredi	Du lundi au jeudi	Le mardi 29/10	Les dimanches
	Période du 30/09 au 08/11	Période du 30/09 au 07/11		Période du 06/10 au 03/11
	Changement de départ	*Sauf le jeudi 31/10*	*Train retardé*	*Train direct*
	Train n° 14 030	Train n° 14 080	Train n° 14 085	Train n° 14 085
Orléans	~~04.50~~	20.28	~~21.28~~ 21.34	21.28
Les Aubrais	05.05	~~20.38~~ 20.48	~~21.38~~ 21.44	~~21.44~~
Paris-Austerlitz	06.03	21.55	~~22.48~~ 22.54	22.48

Répondez aux questions.

1 • Pour quelle raison est-ce que les horaires sont modifiés ?

a. ☐   b. ☐   c. ☐

2 • À quelle heure part le train n° 14 030 ?

....

3 • Le jeudi 31 octobre, à quelle heure le train n° 14 080 part-il de la gare des Aubrais ?

....

4 • Quel jour est-ce que le train n° 14 085 part en retard ?

....

5 • Quel jour est-ce que le train n° 14 085 ne s'arrête pas à la gare des Aubrais ?

....

Vous habitez à Montréal, au Québec. Vous lisez ce programme dans un magazine.

Théâtre international de Montréal
Programme du mois de novembre

Mardi 5 novembre	*Temps et Vie* (tragédie) **20 h 30** Pièce en anglais, surtitrée en français	Entrée : 22 $
Du 6 au 24 novembre	*La vieille femme* (monologue) **19 h 45** Pièce en anglais et en russe, surtitrée en français	Entrée : 16 $
Vendredi 25 novembre	*Cosmos* (comédie) **20 h 00** Pièce en français	Entrée : 20 $
Du 26 au 30 novembre	*Le son de la musique* (comédie musicale) **20 h 00** Chansons en anglais, dialogues en français	Entrée : 28 $ - 39 $

Répondez aux questions.

1 • Quelle pièce est seulement en anglais ?

....

2 • Quelle pièce est en russe ?

....

3 • *Cosmos* est une...
   a. ☐ tragédie.
   b. ☐ comédie.
   c. ☐ comédie musicale.

4 • Combien coûte l'entrée de *Cosmos* ?

....

5 • Quel jour commence *Le son de la musique* ?

....

//

ACTIVITÉ 16

Vous voulez étudier en France. Vous consultez ce site Internet. //

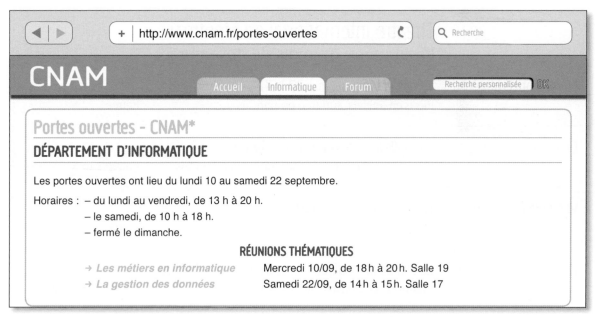

* : Conservatoire national des arts et métiers

D'après : deptmedia.cnam.fr/new/spip.php?article619

Répondez aux questions. //

1 • Quel jour commencent les portes ouvertes ?

....

2 • Le mercredi, les portes ouvertes sont...
    a. ❑ de 10 h à 18 h.
    b. ❑ de 13 h à 20 h.
    c. ❑ de 18 h à 20 h.

3 • Quel jour est-ce que le CNAM n'est pas ouvert ?

....

4 • Dans quelle salle est la réunion *Les métiers en informatique* ?

....

5 • Quel est le thème de la réunion du 22 septembre ?

....

ACTIVITÉ 17

Vous êtes à l'aéroport. Vous consultez ce tableau d'affichage.

DÉPARTS ✈				
HEURE	**VOL**	**DESTINATION**	**PORTE**	**INFORMATIONS**
12:00	OD 1961	Beijing	F 06	
~~12:15~~	~~PN 0034~~	~~Tokyo~~	~~F 18~~	Vol annulé
12:20	TE 0529	Dubaï	E 30	
12:30	PN 2415	Hong Kong	F 04	
~~12:50~~	GI 1872	Singapour	E 16	Retard de 35 min
13:20	OD 0061	Tokyo	F 04	
13:45	OD 1963	Beijing	F 16	
~~14:10~~	PN 0136	Osaka	F 24	Retard de 45 min

Répondez aux questions.

1 • Combien d'avions vont à Beijing ?

....

2 • Quelle est la destination du vol annulé ?

....

3 • L'avion pour Dubaï part à...
  a. ☐ 12 h 00.
  b. ☐ 12 h 20.
  c. ☐ 12 h 30.

4 • L'avion pour Singapour a un retard de...
  a. ☐ 30 minutes.
  b. ☐ 35 minutes.
  c. ☐ 45 minutes.

5 • Quel est le numéro du vol pour Osaka ?

....

ACTIVITÉ 18

Vous étudiez au Québec. Vous consultez ces informations sur le site de votre université.

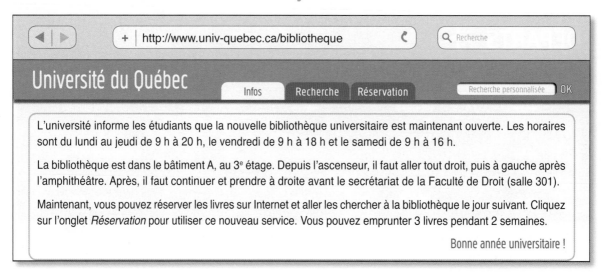

Répondez aux questions.

1 ● Le mercredi, la bibliothèque ferme à...
   a. ☐ 16 h.
   b. ☐ 18 h.
   c. ☐ 20 h.

2 ● Dans quel bâtiment est la nouvelle bibliothèque ?

....

3 ● Dessinez sur le plan le trajet pour aller à la bibliothèque.

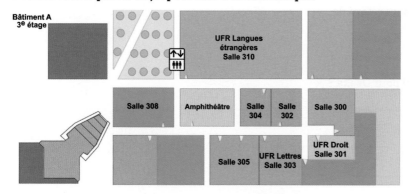

4 ● Pour emprunter un livre sur Internet, il faut cliquer sur...
   a. ☐ Infos.   **b.** ☐ Recherche.   **c.** ☐ Réservation.

5 ● Vous pouvez prendre combien de livres ?

....

////////// **III** **S'informer** //

A. Dans un article de presse écrite ou sur Internet

ACTIVITÉ 1

Vous lisez cet article dans un journal français. //

Le nouveau permis de conduire

Le 16 septembre, le nouveau permis de conduire arrive en France. Il est blanc et rose et il a la taille d'une carte bancaire. Il est très pratique.

• *Quelles informations est-ce qu'il y a sur le nouveau permis ?*
Il présente les informations essentielles : l'identité du conducteur et le type de permis.

• *Le type de permis, qu'est-ce que c'est ?*
Par exemple, le permis B permet de conduire une voiture.

• *Comment faire pour changer de permis ?*
Il faut attendre. Le ministère de l'Intérieur va envoyer le nouveau permis aux 38 millions de conducteurs français.
Il est envoyé par la poste, en lettre suivie.

Répondez aux questions. //

1 • À quelle date arrive le nouveau permis de conduire ?

....

2 • Quelle information pouvez-vous voir sur le permis ? *(Une réponse attendue)*

....

3 • Si vous avez le permis B, vous pouvez conduire...
   a. ☐   **b.** ☐   **c.** ☐

4 • Qui va envoyer le nouveau permis aux conducteurs ?

....

5 • Combien est-ce qu'il y a de conducteurs en France ?

....

ACTIVITÉ 2

Vous lisez cet article dans un journal français.

Deux artistes décorent la ville de Lyon

Max et Martin sont amis d'enfance et ils sont peintres. Leur art est particulier : ils font de la peinture sur les murs ! Martin explique : « Nous voulons une belle ville. Quand nous peignons les murs de la ville, Lyon devient colorée ». Max et Martin ont créé l'association *Ploubelle la ville !* en 2012. Leur objectif est de décorer Lyon et de communiquer avec les Lyonnais. Leur art est populaire : les commerçants et les habitants aiment beaucoup leur style artistique. Les quartiers gris et sombres d'hier sont pleins de couleurs aujourd'hui.

Très librement adapté de :
Elisa Riberry, « Quand deux artistes s'attaquent au mobilier urbain »,
20 minutes, 15/10/2013.

Répondez aux questions.

1 ● Quelle est la forme d'art de Max et Martin ?

a. ☐

b. ☐

c. ☐

2 ● Dans quelle ville est-ce que Max et Martin sont artistes ?

3 ● En quelle année ont-ils créé l'association *Ploubelle la ville*?

4 ● Pour quelle raison ?

5 ● Qu'est-ce que les commerçants aiment ?

ACTIVITÉ 3

Vous lisez cet article sur Internet.

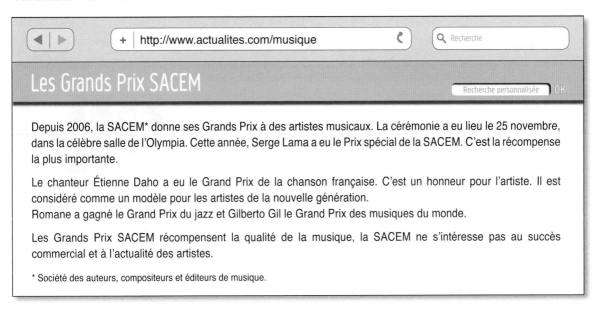

Les Grands Prix SACEM

Depuis 2006, la SACEM* donne ses Grands Prix à des artistes musicaux. La cérémonie a eu lieu le 25 novembre, dans la célèbre salle de l'Olympia. Cette année, Serge Lama a eu le Prix spécial de la SACEM. C'est la récompense la plus importante.

Le chanteur Étienne Daho a eu le Grand Prix de la chanson française. C'est un honneur pour l'artiste. Il est considéré comme un modèle pour les artistes de la nouvelle génération.
Romane a gagné le Grand Prix du jazz et Gilberto Gil le Grand Prix des musiques du monde.

Les Grands Prix SACEM récompensent la qualité de la musique, la SACEM ne s'intéresse pas au succès commercial et à l'actualité des artistes.

* Société des auteurs, compositeurs et éditeurs de musique.

Répondez aux questions.

1 ● Depuis quand est-ce que les Grands Prix SACEM existent ?

2 ● Quel est le jour de la cérémonie ?

3 ● Quel est le Grand Prix le plus important ?
   a. ❑ Le Prix Spécial.
   b. ❑ Le Grand Prix de la chanson française.
   c. ❑ Le Grand Prix des musiques du monde.

4 ● Dans quelle catégorie musicale est-ce que Romane a eu un Grand Prix ?

5 ● Sur quel critère est-ce qu'un artiste peut gagner un Grand Prix ?
   a. ❑ Le succès.
   b. ❑ L'actualité.
   c. ❑ La musique.

ACTIVITÉ 4

Vous consultez le blog d'une amie francophone.

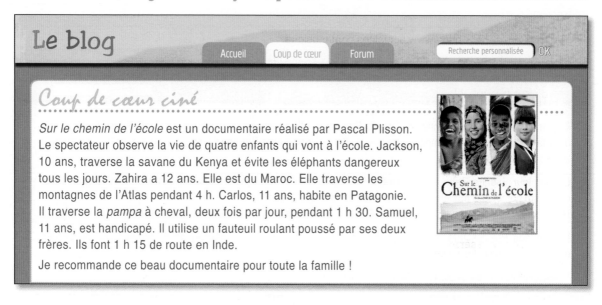

Le blog

Accueil   Coup de cœur   Forum   Recherche personnalisée   OK

Coup de cœur ciné

Sur le chemin de l'école est un documentaire réalisé par Pascal Plisson. Le spectateur observe la vie de quatre enfants qui vont à l'école. Jackson, 10 ans, traverse la savane du Kenya et évite les éléphants dangereux tous les jours. Zahira a 12 ans. Elle est du Maroc. Elle traverse les montagnes de l'Atlas pendant 4 h. Carlos, 11 ans, habite en Patagonie. Il traverse la *pampa* à cheval, deux fois par jour, pendant 1 h 30. Samuel, 11 ans, est handicapé. Il utilise un fauteuil roulant poussé par ses deux frères. Ils font 1 h 15 de route en Inde.

Je recommande ce beau documentaire pour toute la famille !

Répondez aux questions.

1 • Qui est le réalisateur du film ?

2 • Quel paysage traverse Jackson ?
   a. ☐   **b.** ☐   **c.** ☐

3 • Qui a 12 ans ?
   a. ☐ Carlos.   **b.** ☐ Zahira.   **c.** ☐ Samuel.

4 • Quel est le moyen de transport de Carlos ?
   a. ☐   **b.** ☐   **c.** ☐

ACTIVITÉ 5

Vous lisez cet article dans un magazine.

Sans frontières : une série télévisée qui a du potentiel

Cette série est une coproduction européenne. C'est l'histoire d'une équipe de policiers internationaux qui cherchent des criminels dans toute l'Europe. Le premier épisode a eu beaucoup de succès : 15 millions de spectateurs en France. Bravo !

Surprise ! C'est le chanteur Marc Leblé qui joue le rôle de Louis, le policier français. Les producteurs ont choisi un acteur peu expérimenté, mais très populaire. Marc Leblé est parfait parce qu'il a joué dans un seul film et les Français l'adorent depuis longtemps. Devant la caméra, il est très naturel.

Répondez aux questions.

1 • Où est-ce que la série est produite ?

a. ☐   b. ☐   c. ☐

2 • Quelle est la profession des personnages ?

a. ☐   b. ☐   c. ☐

3 • Combien de Français ont regardé le premier épisode de *Sans frontières* ?

....

4 • Quelle est la profession de Marc Leblé ?
- **a.** ☐ Acteur.
- **b.** ☐ Chanteur.
- **c.** ☐ Producteur.

5 • Comment est Marc Leblé devant la caméra ?

....

///

ACTIVITÉ 6

Vous lisez cet article dans un magazine francophone. ///

Après son disque de l'année dernière, *Mémoire pleine*, Paul Moncarnet a fait une série de 6 concerts à Paris et 3 spectacles à Bruxelles. Aujourd'hui, il sort son 5e album : *Renouveau*.

Paul Moncarnet présente 11 nouvelles chansons. Il a travaillé avec deux producteurs. Le style musical est une surprise : c'est de la musique pop des années 1960 ! Les chansons sont joyeuses et les paroles poétiques. Bien sûr, Paul chante et joue de la guitare dans toutes ses chansons.

Répondez aux questions. ///

1 • Paul Moncarnet a fait combien de concerts à Bruxelles ?
    a. ❏ 3.
    b. ❏ 5.
    c. ❏ 6.

2 • Comment s'appelle son nouveau disque ?
....

3 • Il y a combien de chansons ?
....

4 • La musique est...
    a. ❏ triste.
    b. ❏ joyeuse.
    c. ❏ polémique.

5 • Paul Moncarnet joue de quel instrument ?
    a. ❏   **b.** ❏   **c.** ❏

ACTIVITÉ 7

Vous lisez cet article dans un magazine.

Un film extraordinaire

Quatre ans après *Micmacs à tire-larigot,* le réalisateur français Jean-Pierre Jeunet revient avec un nouveau film : *L'Extravagant voyage du jeune et prodigieux T. S. Spivet.*
Le film raconte l'histoire de T. S. Spivet, un petit garçon qui traverse les États-Unis pour aller dans la ville de Washington, car il a gagné un prix scientifique. Ce personnage est extraordinaire : il parle 5 langues, comme le chinois, et il est champion du monde de karaté.

Ce film, tourné à Montréal, sort en 3D la semaine prochaine. Pour gagner 2 tickets, envoyez un courriel à concours@ecran-blanc.eu.

Répondez aux questions.

1 • Quelle est la profession de Jean-Pierre Jeunet ?

....

2 • T. S. Spivet voyage dans quel pays ?
    a. ❑ La France.
    b. ❑ Le Canada.
    c. ❑ Les États-Unis.

3 • Combien de langues parle T. S. Spivet ?

....

4 • Quel sport pratique T. S. Spivet ?
    a. ❑   **b.** ❑   **c.** ❑

5 • Où a eu lieu le tournage du film ?
    a. ❑ À Paris.
    b. ❑ À Montréal.
    c. ❑ À Washington.

ACTIVITÉ 8

Vous lisez cet article dans un magazine.

Le zoo de Manoco attire les stars !

Le zoo de Manoco a ouvert le 24 mars. Sa construction a duré 28 mois. Aujourd'hui, il accueille 3 100 animaux. 1 000 visiteurs sont venus la semaine dernière. Les propriétaires du zoo sont très contents parce que beaucoup de personnes célèbres viennent voir les animaux.

Le 26 mars, la princesse Annie a visité le zoo. Quels sont ses animaux préférés ? Baby et Népal, un couple d'éléphants. Ils attendent un bébé !

Le 4 avril, l'actrice américaine Lucy Alberts a admiré les lions et les tigres. Elle a aussi parlé avec ses admirateurs.

Le mois prochain, le zoo présente une nouveauté : un spectacle de dauphins. Une danseuse célèbre va venir pour l'inauguration. Mais personne ne sait son nom : c'est une surprise !

Répondez aux questions.

1 • Quel est le jour d'ouverture du zoo ?
    a. ❑ Le 24 mars.
    b. ❑ La 26 mars.
    c. ❑ Le 28 mars.

2 • Il y a combien d'animaux ?

3 • Quels sont les animaux préférés de la princesse Annie ?
    a. ❑   **b.** ❑   **c.** ❑

4 • Lucy Alberts est...
    a. ❑ actrice.
    b. ❑ danseuse.
    c. ❑ chanteuse.

5 • Le mois prochain, le zoo propose...

B. Dans des documents informatifs

ACTIVITÉ 9

Vous recevez ce courriel d'une agence de voyages.

De : cassandra.lepetit@voyages-en-france.fr
Objet : Votre week-end à Montcour

Bonjour,

Je vous confirme votre réservation de voyage. C'est un week-end pour deux personnes à la campagne, au village de Montcour. Vous allez dormir dans une chambre d'hôtes près de la forêt du Célestin.
Le samedi midi, vous allez pique-niquer près du canal de Montcour. L'après-midi, vous allez faire du bateau. Le dimanche, vous allez visiter les ruches près du village : c'est là qu'on fabrique le célèbre miel de Montcour.
Si vous aimez le football, il est possible d'assister à un match local. C'est gratuit.

Vous pouvez me contacter si vous avez besoin de plus de renseignements.

Cordialement,
Cassandra Lepetit
Voyages en France

Répondez aux questions.

1 ● Pour quoi Cassandra Lepetit vous écrit ?

....

2 ● Vous allez...
   a. ☐   b. ☐   c. ☐

3 ● Vous allez loger près...
   a. ☐ du canal.
   b. ☐ du village.
   c. ☐ de la forêt.

4 ● Quelle est la spécialité de Montcour ?

....

5 ● Quelle activité est gratuite ?

....

ACTIVITÉ 10

Vous lisez ce message sur un forum.

◀ | ▶   + | forum.sport.fr   ↻   🔍 Recherche

Forum   Forum   Infos   Blog   Recherche personnalisée   OK

Re : Quelle salle de sport choisir ?

Romain
Posté le :
16 mars à 09:33

Bienvenue dans notre ville. Je peux vous conseiller deux salles de sport. La première s'appelle *Sport Tonic.* Elle est dans le centre de la ville. Elle ouvre du lundi au dimanche. Mais elle est petite.
La deuxième salle s'appelle *Gym Mania.* Elle est à 15 minutes du centre-ville. Il y a une piscine et des activités collectives du mardi au samedi. Mais elle est ouverte du lundi après-midi au samedi matin et il faut une voiture pour aller dans cette salle…

Répondez aux questions.

1 ● Quel jour est-ce que Romain a écrit ?

2 ● Où est *Sport Tonic* ?

3 ● À *Gym Mania*, il y a…
   a. ☐   b. ☐   c. ☐

      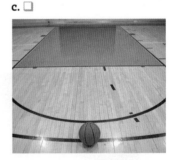

4 ● *Gym Mania* ouvre…
   a. ☐ du lundi au samedi.
   b. ☐ du mardi au samedi.
   c. ☐ de lundi au dimanche.

5 ● Quel moyen de transport devez-vous utiliser pour aller à *Gym Mania* ?

ACTIVITÉ 11

Vous allez travailler dans une entreprise française. Vous recevez ce courriel.

De : annette.roussillon@lilicom.fr
Objet : Informations

Bonjour,

Bienvenue dans notre entreprise. Voici des informations utiles pour les employés étrangers.

• Rythme de travail
Le rythme de travail habituel est de 35 heures par semaine, du lundi au vendredi. Si vous travaillez un samedi matin, vous êtes libre le lundi matin suivant. Mais c'est exceptionnel.

• Salaire
Pour le salaire, il faut un compte en banque en France. Nous ne versons pas le salaire sur un compte en banque à l'étranger.

• Absence médicale
Si vous êtes malade et que vous ne pouvez pas venir travailler, vous devez m'appeler et me dire combien de temps vous allez être absent. Vous ne devez pas me donner de détails sur votre santé : c'est personnel !

Vous pouvez me contacter si vous avez des questions.

Cordialement,

Annette Roussillon
Responsable des Ressources Humaines

○ **Entreprises lilicom** •
La télécommunication à votre service

Répondez aux questions.

1 • Combien d'heures devez-vous travailler chaque semaine ?

....

2 • Normalement, vous travaillez...
   a. ❏ du lundi au vendredi.
   b. ❏ du lundi au samedi.
   c. ❏ du mardi au samedi.

3 • Dans quel pays devez-vous avoir un compte bancaire ?

....

4 • Qui devez-vous appeler si vous êtes malade ?

....

5 • Si vous êtes malade, vous devez...
   a. ❏ venir travailler le samedi.
   b. ❏ décrire votre état de santé.
   c. ❏ dire la durée de votre absence.

//

ACTIVITÉ 12

Vous consultez le site de l'Université de la Rochelle, en France. //

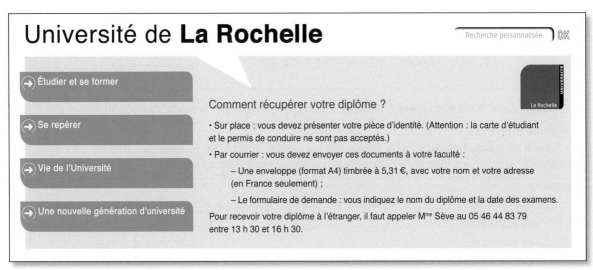

Université de **La Rochelle**

Recherche personnalisée) OK

→ Étudier et se former

→ Se repérer

→ Vie de l'Université

→ Une nouvelle génération d'université

Comment récupérer votre diplôme ?

• Sur place : vous devez présenter votre pièce d'identité. (Attention : la carte d'étudiant et le permis de conduire ne sont pas acceptés.)

• Par courrier : vous devez envoyer ces documents à votre faculté :

   – Une enveloppe (format A4) timbrée à 5,31 €, avec votre nom et votre adresse (en France seulement) ;

   – Le formulaire de demande : vous indiquez le nom du diplôme et la date des examens.

Pour recevoir votre diplôme à l'étranger, il faut appeler Mme Sève au 05 46 44 83 79 entre 13 h 30 et 16 h 30.

D'après : www.univ-larochelle.fr/Retirer-votre-diplome

Répondez aux questions. ///

1 ● **Sur place, quel document est-ce que vous ne pouvez pas présenter ?**

   a. ☐   **b.** ☐   **c.** ☐

2 ● **Que devez-vous écrire sur l'enveloppe ?** *(Deux réponses)*

....

3 ● **Quelle information devez-vous indiquer sur le formulaire ?** *(Une réponse attendue)*

....

4 ● **Pour contacter Mme Sève, vous devez...**

   a. ☐ lui écrire.

   b. ☐ lui téléphoner

   c. ☐ aller à son bureau.

5 ● **À partir de quelle heure ?**

....

ACTIVITÉ 13

Vous étudiez le théâtre à Perpignan.

Séminaire de théâtre classique

Animé par Hélène Fortune

Samedis 18 et 25 avril de 9 h 30 à 12 h 30 et de 14 h 00 à 16 h 30.

Dans ce séminaire, on va étudier le théâtre de la période classique. Le premier samedi, on va apprendre à lire un texte difficile, à identifier une période historique et à définir un personnage.

Le deuxième samedi, Hélène Fortune va choisir quatre scènes et les élèves vont improviser. L'après-midi, les élèves vont jouer ces scènes devant les professeurs de l'école.

L'inscription est limitée à 12 personnes. Elle est de 40 €.

Véronique Paille
Directrice de l'école de théâtre Corneille

Répondez aux questions.

1 • **Qui anime le séminaire ?**
   a. ❏ Hélène Fortune.   **b.** ❏ Véronique Paille.   **c.** ❏ Les professeurs de l'école.

2 • **Le premier samedi, vous allez...**
   a. ❏   **b.** ❏   **c.** ❏

3 • **Le deuxième samedi, qu'est-ce que vous allez faire ?**
   a. ❏   **b.** ❏   **c.** ❏

4 • Combien de personnes peuvent s'inscrire ?

5 • Combien coûte l'inscription ?

ACTIVITÉ 14

Vous lisez cette publicité dans un prospectus.

① UN PETIT PAIN SURPRISE

Du 7 au 20 janvier, si vous achetez 3 petits pains spéciaux (1,50 € les trois), les boulangeries **PAIN ET DÉLICES** vous offrent un 4ᵉ pain surprise (une baguette, un pain de campagne, un pain complet).

② INVITATION AU RESTAURANT

Si vous achetez un guide touristique et une valise d'une valeur de 50 € ou plus, le magasin **VOYAGE VOYAGE** vous offre un repas au restaurant.

Offre valable jusqu'au 15 janvier.

③ FLEURS ET CHOCOLAT

Si vous achetez des chocolats chez **BELLA D'OR**

le mercredi 17 janvier, la fête de Sainte Roseline,

le magasin vous offre **sept roses rouges**.

Répondez aux questions.

1 ● La première promotion est valable...
   a. ❑ du 7 au 17 janvier.
   b. ❑ du 7 au 20 janvier.
   c. ❑ du 17 au 20 janvier.

2 ● Combien coûtent trois petits pains ?

3 ● Le magasin *Voyage voyage* offre...
   a. ❑ un repas.
   b. ❑ un guide.
   c. ❑ une valise.

4 ● La deuxième promotion est valable jusqu'à quel jour ?

5 ● *Bella d'or* vous offre...
   a. ❑   b. ❑   c. ❑

ACTIVITÉ 15

Vous lisez ce panneau d'information à un aquarium.

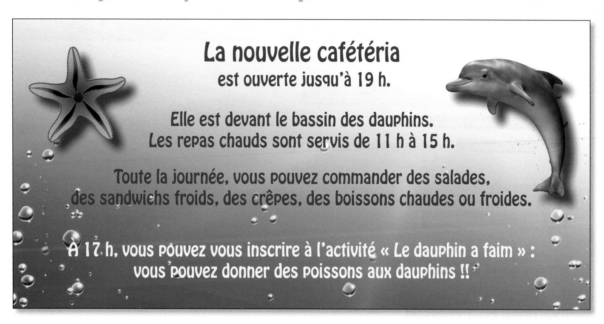

La nouvelle cafétéria
est ouverte jusqu'à 19 h.

Elle est devant le bassin des dauphins.
Les repas chauds sont servis de 11 h à 15 h.

Toute la journée, vous pouvez commander des salades,
des sandwichs froids, des crêpes, des boissons chaudes ou froides.

À 17 h, vous pouvez vous inscrire à l'activité « Le dauphin a faim » :
vous pouvez donner des poissons aux dauphins !!

Répondez aux questions.

1 ● À quelle heure la cafétéria ferme ?
    a. ❑ À 15 h.
    b. ❑ À 17 h.
    c. ❑ À 19 h.

2 ● Où est la cafétéria ?

3 ● Les repas chauds sont servis pendant combien de temps ?

4 ● Qu'est-ce que vous ne pouvez pas consommer à 17 h ?
    a. ❑   **b.** ❑   **c.** ❑

5 ● Toute la journée, vous pouvez acheter...
    a. ❑ une boisson chaude.
    b. ❑ une boisson froide.
    c. ❑ les deux.

ÉCRITE

Description de l'épreuve

La production écrite est la troisième partie des épreuves collectives du DELF A1.

Elle dure **30 minutes**.

L'épreuve de production écrite est composée de deux parties :

– **Exercice 1 : donner des informations**
– **Exercice 2 : écrire un message court**

Pour vous aider...

Voici quelques conseils pour vous aider à préparer l'épreuve de production écrite.

● Lisez bien la consigne. Il faut la lire plusieurs fois. Vous pouvez souligner les « mots-clés », c'est-à-dire les mots importants qui indiquent ce qu'il faut écrire dans votre production.

● Si la situation proposée ne vous correspond pas personnellement, vous devez inventer une production, en suivant les mots-clés de la consigne.

● Les mots-clés de la consigne servent à comprendre ce que vous devez écrire dans la production, mais il faut utiliser vos propres mots et ne pas recopier les mots-clés.

● Dans l'exercice 1, vous devez répondre en un mot ou en plusieurs mots. Mais il ne faut pas rédiger de phrases complètes.

● Dans l'exercice 2, il faut rédiger des phrases courtes. Vous devez écrire au moins 40 mots. Vous pouvez écrire plus de 40 mots, mais pas moins. Comptez le nombre de mots dans votre production et écrivez-le en bas de la copie.

● Vous pouvez écrire sur une autre feuille si vous préférez. Mais après, il faut recopier votre texte sur la copie d'examen. Écrivez lisiblement et au stylo (bleu, de préférence).

● Quand vous avez terminé, relisez plusieurs fois vos productions pour vérifier si vous avez répondu à la consigne et pour corriger vos erreurs (conjugaison, accord du masculin/féminin et du singulier/pluriel, articles, prépositions, etc.).

→ Consultez la partie *B comme... brancher* pour voir un exemple de sujet.

Exemple d'activités à réaliser

Pour préparer l'épreuve de production écrite, réalisez les activités suivantes.

Pensez à appliquer les recommandations données dans la partie *A comme... aborder la production écrite*.

//////////// **I** **Exercice 1 : donner des informations** //

1. Sur ses loisirs

ACTIVITÉ 1

Vous habitez à Bruxelles. Vous voulez vous inscrire dans une école de langues. ////////////////////
Vous remplissez cette fiche d'inscription.

École de langues *ABC*

Fiche d'inscription

Nom : XXXXX

Prénom : ....

Date de naissance : .... /......./....................

Nationalité : ....

Situation de famille : ....

Langue(s) déjà parlée(s) : ....

Quelle langue voulez-vous apprendre ? ....

Quel est votre niveau dans cette langue ? ....

Adresse en Belgique : ....

....

Numéro de téléphone : ....

Courriel : .... @ ....

→ Entraînez-vous à remplir ce formulaire, et ensuite, consultez la partie *C comme... contrôler la production écrite* p. 104.

1. Pour parler de soi

ACTIVITÉ 1

Vous êtes en vacances à l'étranger. Vous écrivez une carte postale
à un ami francophone. Vous lui parlez de vos activités et du temps qu'il fait.
Vous lui dites quand vous revenez. (40 mots minimum)

→ Entraînez-vous à faire cette production écrite, et ensuite, consultez la partie *C comme… contrôler la production écrite* p. 104.

Évaluez vos réponses à la page suivante.

C comme... contrôler la production écrite

Après avoir réalisé les activités, vous pouvez évaluer vos réponses à l'aide de la grille d'évaluation et de la proposition de correction.

Grille d'évaluation

L'examinateur utilise une grille d'évaluation de la production écrite. C'est la même grille pour tous les candidats du DELF A1.

La production orale est notée sur **25 points** :
- Le premier exercice est noté sur 10 points.
- Le deuxième exercice est noté sur 15 points.

Critères de la grille d'évaluation

I Exercice 1 : donner des informations /10 points

Dans l'exercice 1, il y a 10 informations à donner. Chaque information est notée sur 1 point. Les erreurs d'orthographe ne comptent pas, sauf si elles gênent la compréhension des informations données.

II Exercice 2 : écrire un message court /15 points

Respect de la consigne Peut mettre en adéquation sa production avec la situation proposée. Peut respecter la consigne de longueur minimale indiquée.	0	0,5	1	1,5	2

➔ Ce critère permet de vérifier que :
- votre production correspond de manière générale à ce qui est demandé dans la consigne :
  - le *genre* de texte (par exemple une lettre à un ami, un courriel à un collègue, etc.) ;
  - le *thème* (les vacances, un concert, etc.) ;
  - le type de *discours* attendu (raconter quelque chose, inviter quelqu'un, etc.) ;
- vous écrivez au moins 40 mots.

Correction sociolinguistique Peut utiliser les formes les plus élémentaires de l'accueil et de la prise de congé. Peut choisir un registre de langue adapté au destinataire (*tu*/*vous*).	0	0,5	1	1,5	2

➔ Ce critère permet de vérifier que vous êtes capable de respecter :
- les formules de salutations (*bonjour, salut,* etc.) et de prise de congé (*au revoir, à bientôt, bisous,* etc.) adaptées au destinataire ;
- la façon de s'adresser au destinataire (utilisation de *tu* dans une situation informelle et de *vous* dans une situation formelle).

Capacité à informer et/ou décrire Peut écrire des phrases et des expressions simples sur soi-même et ses activités.	0	0,5	1	1,5	2	2,5	3	3,5	4

→ Ce critère permet de vérifier que vous pouvez parler de tous les éléments donnés par la consigne. Dans l'exemple de la p. 103, vous devez pouvoir parler :
- des activités que vous faites pendant vos vacances ;
- de la météo sur votre lieu de vacances ;
- de votre date de retour de vacances.

Lexique et orthographe lexicale Peut utiliser un répertoire élémentaire de mots et d'expressions relatifs à sa situation personnelle. Peut orthographier quelques mots du répertoire élémentaire.	0	0,5	1	1,5	2	2,5	3

→ Ce critère permet de vérifier que vous êtes capable d'utiliser le vocabulaire de niveau A1 et qu'il est approprié au thème de la consigne. (Dans l'exemple de la p. 103, il s'agit du vocabulaire des activités et de la météo.)

Morphosyntaxe et orthographe grammaticale Peut utiliser avec un contrôle limité des structures, des formes grammaticales simples appartenant à un répertoire mémorisé.	0	0,5	1	1,5	2	2,5	3

→ Ce critère permet de vérifier que vous pouvez utiliser les règles de base de grammaire (accord du masculin/féminin et du singulier/pluriel) et de conjugaison du niveau A1.

→ Vous êtes aussi capable de formuler des phrases simples et bien construites (sujet + verbe + complément), au présent ou au futur proche. (Dans l'exemple de la p. 103, il faut utiliser le présent.)

Cohérence et cohésion Peut relier les mots avec des connecteurs très élémentaires tels que « et », « alors ».	0	0,5	1

→ Ce critère permet de vérifier que vous avez un discours cohérent. Vos idées s'enchaînent à l'aide de connecteurs très simples (*et, alors*).

I **Exercice 1 : donner des informations**

1. Sur ses loisirs

ACTIVITÉ 1

Vous habitez à Bruxelles. Vous voulez vous inscrire dans une école de langues.
Vous remplissez cette fiche d'inscription.

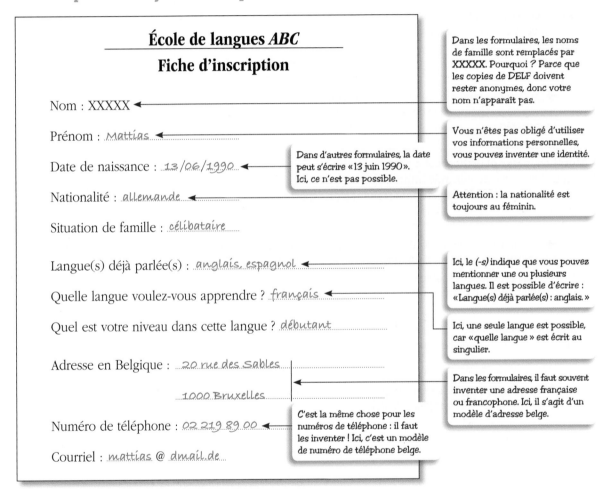

École de langues *ABC*
Fiche d'inscription

Nom : XXXXX ◄

Prénom : Mattias ◄

Date de naissance : 13/06/1990 ◄

Nationalité : allemande ◄

Situation de famille : célibataire

Langue(s) déjà parlée(s) : anglais, espagnol ◄

Quelle langue voulez-vous apprendre ? français ◄

Quel est votre niveau dans cette langue ? débutant

Adresse en Belgique : 20 rue des Sables

1000 Bruxelles ◄

Numéro de téléphone : 02 219 89 00 ◄

Courriel : mattias @ dmail.de

Dans les formulaires, les noms de famille sont remplacés par **XXXXX**. Pourquoi ? Parce que les copies de DELF doivent rester anonymes, donc votre nom n'apparaît pas.

Vous n'êtes pas obligé d'utiliser vos informations personnelles, vous pouvez inventer une identité.

Dans d'autres formulaires, la date peut s'écrire «13 juin 1990». Ici, ce n'est pas possible.

Attention : la nationalité est toujours au féminin.

Ici, le *(-s)* indique que vous pouvez mentionner une ou plusieurs langues. Il est possible d'écrire : «Langue(s) déjà parlée(s) : anglais.»

Ici, une seule langue est possible, car «quelle langue» est écrit au singulier.

Dans les formulaires, il faut souvent inventer une adresse française ou francophone. Ici, il s'agit d'un modèle d'adresse belge.

C'est la même chose pour les numéros de téléphone : il faut les inventer ! Ici, c'est un modèle de numéro de téléphone belge.

1. Pour parler de soi

ACTIVITÉ 1

Vous êtes en vacances à l'étranger. Vous écrivez une carte postale à un ami francophone. Vous lui parlez de vos activités et du temps qu'il fait. Vous lui dites quand vous revenez. (40 mots minimum)

Exemple de production :

Salut Nathan !

Je suis en vacances à Sydney, en Australie.
Je vais à la plage tous les jours. Je nage, je fais
du surf et de la plongée **avec mes amis**. Il fait
beau et il fait très chaud.

Je reviens **en France** le 23 février.

À bientôt !

Lucas

49 mots

Dans cette production les critères de la grille d'évaluation sont respectés.

- **Respect de la consigne :** la consigne est respectée parce que c'est une carte postale (*Salut Nathan ! / À bientôt ! Lucas*). Le candidat raconte ses vacances, parle de ses activités, de la météo et de sa date de retour. Le nombre de mots est respecté (*49 mots*)

- **Correction sociolinguistique :** le candidat écrit à un ami et il utilise des formules correctes de salutation (*Salut Nathan !*) et de prise de congé (*À bientôt ! / Lucas*).

- **Capacité à informer et à décrire :** le candidat mentionne tous les éléments de la consigne : il raconte ses vacances à l'étranger (*Je suis en vacances à Sydney, en Australie*), il parle de ses activités (*Je vais à la plage tous les jours. Je nage, je fais du surf et de la plongée*), de la météo (*Il fait beau / il fait très chaud*) et de sa date de retour (*Je reviens [...] le 23 février*).

- **Lexique et orthographe lexicale :** cette production ne comporte pas d'erreur. Le vocabulaire est adapté et de niveau A1.

- **Morphosyntaxe et orthographe grammaticale :** cette production ne comporte pas d'erreur. Les phrases simples sont courtes et bien construites. La grammaire et la conjugaison sont adaptées et de niveau A1.

- **Cohérence et cohésion :** le texte est clair, les idées bien organisées et il y a des connecteurs logiques très simples (*et*).

D comme... DELF

Pour préparer l'épreuve de production écrite, réalisez les activités suivantes. Pensez à appliquer les recommandations données dans la partie *A comme... aborder la production écrite.*

I Donner des informations

A. Sur ses loisirs

ACTIVITÉ 2

Vous cherchez un correspondant pour pratiquer votre français.
Vous vous inscrivez sur ce site Internet.

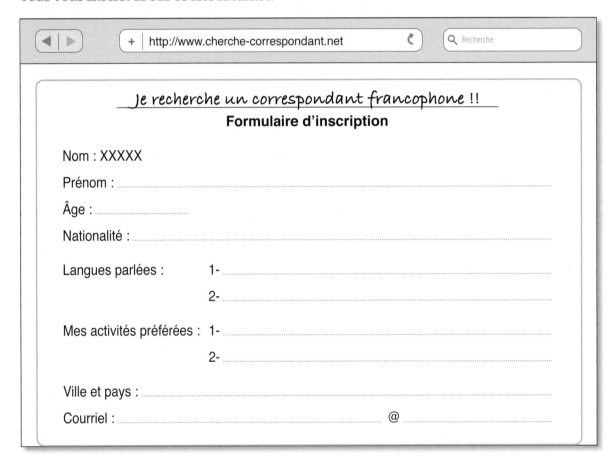

+ | http://www.cherche-correspondant.net   Q Recherche

Je recherche un correspondant francophone !!
Formulaire d'inscription

Nom : XXXXX

Prénom : ....

Âge : ....

Nationalité : ....

Langues parlées :   1- ....

                          2- ....

Mes activités préférées : 1- ....

                                   2- ....

Ville et pays : ....

Courriel : .... @ ....

ACTIVITÉ 3

Vous voyagez à Genève, en Suisse. Vous arrivez à l'hôtel. //
L'employé vous demande de remplir cette fiche d'hébergement.

Fiche d'hébergement

Hôtel Beaulieu
GENÈVE- SUISSE

Nom : XXXXX   Prénom : ....

Date de naissance : ....   Nationalité : ....

Adresse complète : ....

....   Pays : ....

Numéro de téléphone dans votre pays : ....

Gare ou aéroport d'arrivée : ....

Date d'arrivée : .... / .... / 20 ....   Date de départ : .... / .... / 20 ....

Nombre de bagages : ....

Souhaitez-vous une connexion à Internet dans votre chambre ? ....

ACTIVITÉ 4

Vous habitez à Perpignan, en France. Vous voulez vous inscrire à un cours de théâtre. ////////
Vous remplissez cette fiche d'inscription.

École de théâtre Corneille

Fiche d'inscription

Nom : XXXXX   Prénom : ....

Adresse : ....

Code postal et ville : ....

Numéro de téléphone : ....

Email : .... @ ....

Âge : ....

Jour du cours : ....

Avez-vous déjà fait du théâtre ? ....   Quelle année ? ....

Dans quelle école ? ....

//

ACTIVITÉ 5

Vous étudiez le français dans une école de langues. Votre professeur envoie ////////////////////////////////
ce questionnaire à tous les élèves de votre classe. Vous remplissez le questionnaire.

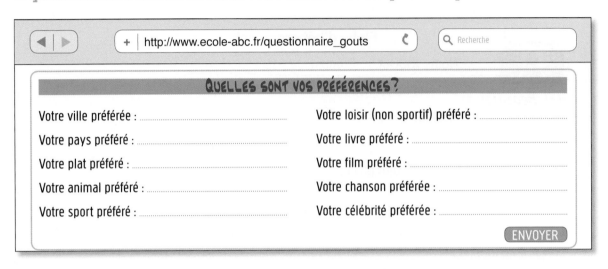

ACTIVITÉ 6

Vous voulez vous abonner à un magazine francophone. Vous remplissez cette fiche. ////////////

Découpez ici ✂

BULLETIN D'ABONNEMENT
** Star Magazine **

Nom : XXXXX   Prénom : ....

Adresse complète : ....

....

Pays : ....

Numéro de téléphone fixe : ....

Numéro de téléphone mobile : ....

Artiste(s) préféré(s) : ....

Émission télévisée préférée : ....

Durée de l'abonnement : .... mois

Voulez-vous recevoir des offres spéciales de ** **Star Magazine** ** ? ....

Courriel : .... @ ....

//

ACTIVITÉ 7

Vous voulez participer à un jeu télévisé. Vous remplissez cette fiche d'inscription ///////////////
sur Internet.

_____

B. Sur sa vie quotidienne

ACTIVITÉ 8

Vous travaillez en France. Vous vous déplacez en train. Pour acheter un abonnement ///////////////
de transport à la SNCF, vous devez remplir ce formulaire.

SNCF

Nom : X X X X X
Prénom : ☐☐☐☐☐☐☐☐☐☐☐☐☐☐☐☐☐☐☐☐☐☐☐☐☐☐☐
Date de naissance : ☐☐ / ☐☐ / ☐☐☐☐
Profession : ☐☐☐☐☐☐☐☐☐☐☐☐☐☐☐☐☐☐☐☐☐☐☐☐☐☐☐

Numéro de téléphone : ☐☐☐☐☐☐☐☐☐☐
Courriel : ☐☐☐☐☐☐☐☐☐☐☐☐☐☐☐☐☐ @ ☐☐☐☐☐☐.☐☐

Nom de votre employeur ou de votre société : ☐☐☐☐☐☐☐☐☐☐☐☐
Ville de votre domicile : ☐☐☐☐☐☐☐☐☐☐☐☐☐☐☐☐
Ville de votre travail : ☐☐☐☐☐☐☐☐☐☐☐☐☐☐☐☐
Abonnement souhaité : ☐ hebdomadaire   ☐ mensuel

Fait le : ☐☐ / ☐☐ / 2 0 ☐☐

ACTIVITÉ 9

Vous faites vos courses au supermarché Super I. Vous voulez une carte de fidélité.
Vous remplissez ce formulaire.

Supermarché *SUPER I*

Demande de carte de fidélité

Informations obligatoires

Nom : X X X X

Prénom :

Adresse :

Informations facultatives

Numéro de téléphone :

Situation familiale : Nombre d'enfants :

Combien de fois par semaine faites-vous vos courses ?

Quel moyen de transport utilisez-vous ?

Quel est votre plat préféré ?

Quel est votre boisson préférée ?

• Souhaitez-vous recevoir nos offres par SMS ? ☐ Oui ☐ Non
Si oui, indiquez votre numéro de téléphone mobile :

• Souhaitez-vous recevoir nos offres par courriel ? ☐ Oui ☐ Non
Si oui, indiquez votre adresse électronique :
@ .

//

ACTIVITÉ 10

Vous vous inscrivez à l'Université de Bruxelles. Vous remplissez votre carte ////////////////////////
d'étudiant temporaire.

UNIVERSITÉ DE BRUXELLES

————————————— *Carte d'étudiant temporaire* —————————————

Nom : XXXXX

Prénom : ....

Date de naissance : .... / .... / ....

Pays de naissance : .... **Nationalité :** ....

Diplôme : *licence* **Matière étudiée :** ....

Adresse : ....

Ville : ....

Adresse électronique : .... @ ....

Fait le : .... / .... / 2 0 ....

ACTIVITÉ 11

Vous vivez en France et vous remplissez cette demande de carte grise*. ////////////////////////

RÉPUBLIQUE FRANÇAISE   **DEMANDE DE CARTE D'IMMATRICULATION**

Nom : X X X X X

Prénom :

Date de naissance :   /   /

Lieu de naissance :

Profession :

Adresse :

Code postal :   Ville :

Marque de la voiture :

Couleur de la voiture :

Êtes-vous le propriétaire de la voiture : ☐ Oui   ☐ Non

---

* **Carte grise** : carte d'immatriculation d'une voiture en France.   **AA-000-AA** 35

113

//

ACTIVITÉ 12

Vous habitez en France. Vous avez un nouveau logement et vous devez l'assurer. ////////////////
Vous remplissez ce formulaire.

Assurance maison
Formulaire d'inscription

Nom : XXXXX

Prénom : ....

Né(e) le : .... / .... / .... à : ....

Adresse : ....

Numéro de téléphone : ....

Situation familiale : ....

Profession : ....

Lieu de travail : ....

Surface de votre logement : .... m²

Nombre de pièces : ....

Combien de personnes vivent dans votre domicile ? ....

ACTIVITÉ 13

Vous voulez utiliser les transports publics de votre ville. Vous remplissez ce formulaire ////////////
pour demander une carte de transport.

■ ■ ■ Réseau TUP ■ ■ ■
DEMANDE DE CARTE DE TRANSPORT

Nom : XXXXX

Prénom : ....

Date de naissance : ....

Profession : ....

Situation familiale : ....

Adresse : ....

Numéro de téléphone : ....

Courriel : .... @ ....

Moyen de transport préféré : ....

II **Écrire un message court**

A. Pour parler de son quotidien

ACTIVITÉ 2

Vous vivez dans un pays francophone. Vous écrivez à votre professeur de français. Vous lui dites où vous habitez et vous racontez ce que vous faites (travail, études, loisirs, etc.). (40 mots minimum)

ACTIVITÉ 3

Vous êtes en vacances dans une grande ville. Vous écrivez une carte postale à un(e) ami(e) français(e). Vous lui dites où vous êtes, pendant combien de temps, les activités que vous faites et le temps qu'il fait. (40 mots minimum)

ACTIVITÉ 4

Vous écrivez à votre correspondant(e) français(e) pour la première fois. Vous vous décrivez et vous lui parlez de votre famille. Vous lui posez des questions sur son pays. (40 mots minimum)

ACTIVITÉ 5

Vous êtes inscrit dans un nouveau club de sports. Vous écrivez un courriel à un(e) ami(e) belge. Vous dites quel(s) sport(s) vous faites, où, quand et avec qui. (40 mots minimum)

ACTIVITÉ 6

Vous venez de vous inscrire dans une école d'arts. Vous écrivez un courriel à une amie suisse. Vous racontez quelle(s) activité(s) vous faites, quand et avec qui. Vous lui demandez si elle aime l'art. (40 mots minimum)

ACTIVITÉ 7

Vous écrivez à votre correspondant(e) belge. Vous lui parlez de vos amis, de vos goûts et de vos activités. Vous lui posez des questions sur ses loisirs. (40 mots minimum)

ACTIVITÉ 8

Vous êtes en vacances à Montréal, au Québec. Vous envoyez une carte postale à un(e) ami(e) francophone. Vous lui parlez de vos activités touristiques (visites, restaurants, etc.) et vous lui demandez des nouvelles. (40 mots minimum)

ACTIVITÉ 9

Vous étudiez à Tours, en France. C'est votre premier jour à l'université. Vous écrivez à un(e) ami(e) français(e). Vous parlez de vos cours et de vos professeurs. Vous lui demandez ce qu'il (elle) fait ce week-end. (40 mots minimum)

D comme... DELF

///

ACTIVITÉ 10

Vous travaillez à Bruxelles, en Belgique. Vous êtes dans une nouvelle entreprise. Vous écrivez un courriel à un(e) ami(e) belge pour lui parler de votre travail et de vos collègues. Vous lui demandez des nouvelles. (40 mots minimum) ///////////////////////////

ACTIVITÉ 11

Vous faites un séjour linguistique à Lausanne, en Suisse. C'est votre premier jour dans votre école de français. Votre professeur vous demande d'écrire un petit texte de présentation. Vous parlez de vous, de votre famille et de vos goûts. (40 mots minimum) ///////////////////

ACTIVITÉ 12

Vous habitez à Paris, en France. Vous avez un nouveau travail. Vous écrivez un mail à un(e) ami(e). Vous lui dites quand vous êtes arrivé(e) dans l'entreprise, quel poste vous occupez et vos horaires de travail. Vous lui demandez des nouvelles. (40 mots minimum) ///////////////

ACTIVITÉ 13

Vous venez d'acheter une place de concert. Vous écrivez à un(e) ami(e) français(e) pour lui dire quel artiste vous allez voir, où, quand et avec qui. Vous lui demandez s'il (elle) aime cet artiste et s'il (elle) veut venir avec vous. (40 mots minimum) //////////////////////

ACTIVITÉ 14

Vous étudiez à l'Institut Français de Casablanca, au Maroc. Votre professeur vous demande de raconter une journée typique. Vous racontez vos habitudes (heure de lever et de coucher, heures de repas, horaires de travail, etc.). (40 mots minimum) ///////////////////////////

ACTIVITÉ 15

Vous écrivez à votre correspondant(e) québécois(e). Vous lui parlez de vos goûts et des activités que vous faites le week-end. Vous lui posez des questions sur ses goûts et ses loisirs. (40 mots minimum) ///

ACTIVITÉ 16

Vous vous connectez sur le forum du site www.mon-inspiration.eu et vous écrivez un texte court pour parler de votre personnalité préférée (artiste, politicien, etc.). Vous la décrivez (physique, caractère) et vous dites pourquoi vous l'aimez. (40 mots minimum) ///////////////////

ACTIVITÉ 17

Vous venez de vous installer dans une nouvelle ville pour votre travail ou vos études. Vous écrivez un courrier électronique à un ami(e) francophone pour lui raconter ce que vous faites. Vous lui parlez de votre endroit préféré dans la ville et vous lui demandez des nouvelles. (40 mots minimum) ///

ACTIVITÉ 18

Vous revenez du cinéma. Vous écrivez à un(e) ami(e) francophone et vous lui parlez du film que vous avez vu. Vous lui dites le titre et quels acteurs jouent dans le film. Vous lui expliquez pourquoi vous aimez le film. Vous lui demandez le titre de son film préféré.
(40 mots minimum)

B. Pour inviter quelqu'un

ACTIVITÉ 1

Vous vivez dans la ville de Québec, au Canada. Vous voulez fêter le réveillon du 31 décembre. Vous écrivez à un(e) ami(e) québécois(e) pour l'inviter. Vous lui dites le lieu, l'heure et le nom des autres invités. Vous lui donnez la date limite pour vous répondre.
(40 mots minimum)

ACTIVITÉ 2

Vous habitez à Toulon, en France. Vous écrivez à un(e) ami(e) et vous lui proposez d'aller faire une randonnée à vélo. Vous lui dites le prix de la location, où, quand et combien de temps vous voulez partir. (40 mots minimum)

ACTIVITÉ 3

Vous avez un nouveau logement en France. Vous écrivez à un(e) ami(e) français(e) pour l'inviter à dîner. Vous lui proposez un rendez-vous (date, heure) et vous lui dites comment venir chez vous. Vous lui demandez ce qu'il (elle) veut manger.
(40 mots minimum)

ACTIVITÉ 4

Vous êtes en vacances en Suisse. Vous louez un chalet à la montagne. Vous écrivez une carte postale à un(e) ami(e) francophone pour lui dire où vous êtes, avec qui et pendant combien de temps. Vous lui parlez de vos activités et de la météo. (40 mots minimum)

ACTIVITÉ 5

Vous vivez en Belgique et vous allez fêter votre anniversaire. Vous écrivez un courriel à un(e) ami(e) pour l'inviter. Vous lui dites où et quand est le rendez-vous. Vous lui demandez d'apporter quelque chose (à boire, à manger, etc.). (40 mots minimum)

ACTIVITÉ 6

Vous habitez en France et c'est la fête de la musique le 21 juin. Vous écrivez un courriel à un(e) ami(e) français(e) et vous lui proposez d'aller à un concert. Vous lui dites le nom de l'artiste (ou du groupe), le prix, le lieu et l'heure du rendez-vous.
(40 mots minimum)

ACTIVITÉ 7

Il y a une nouvelle crêperie dans votre quartier. Vous écrivez un message à un(e) ami(e) francophone pour lui demander de dîner avec vous. Vous lui fixez un rendez-vous (date, heure), vous lui dites le prix des menus et quel transport utiliser pour aller à la crêperie. (40 mots minimum)

ACTIVITÉ 8

Vous travaillez en France. Vous écrivez un courriel à un client. Vous lui proposez de déjeuner avec vous, puis de visiter votre entreprise. Vous lui dites le nom du restaurant, où et quand est le rendez-vous. Vous lui demandez s'il vient seul. (40 mots minimum)

ACTIVITÉ 9

Vous étudiez le français à Nice, en France. Vous allez passer le DELF A1. Vous écrivez à un(e) étudiant(e) de votre classe pour lui proposer d'étudier. Vous lui dites où, quand et avec qui. Vous lui demandez d'apporter son livre ABC DELF. (40 mots minimum)

ACTIVITÉ 10

Vous étudiez à l'Université de Grenoble, en France. Vous allez passer vos examens de fin d'année. Vous écrivez à un(e) camarade de classe et vous lui proposez un rendez-vous (où, quand) pour étudier ensemble. Vous lui dites pour quelle matière vous avez besoin d'aide. (40 mots minimum)

ACTIVITÉ 11

Vous habitez en Belgique. Vous avez deux invitations pour le théâtre. Vous envoyez un message à un(e) ami(e) belge et vous lui proposez de venir avec vous. Vous lui parlez de la pièce et vous fixez un rendez-vous. Vous lui dites avant quelle date il (elle) doit vous répondre. (40 mots minimum)

ACTIVITÉ 12

Vous travaillez à Genève, en Suisse. Vous laissez un message sur le bureau de votre collègue. Vous lui proposez de déjeuner avec vous. Vous lui dites où, à quelle heure et quel plat vous voulez manger. Vous lui demandez de vous appeler pour confirmer. (40 mots minimum)

ACTIVITÉ 13

Vous voulez partir en vacances. Vous écrivez à un(e) ami(e) québécois(e) pour lui proposer de venir avec vous. Vous lui dites le lieu, les dates et les activités que vous voulez faire. (40 mots minimum)

ACTIVITÉ 14

*Un musée vient d'ouvrir dans votre ville. Vous écrivez à un ami(e) francophone et
lui proposez d'aller à l'inauguration avec vous. Vous lui donnez rendez-vous et vous lui
dites le tarif. Vous lui demandez ce qu'il (elle) veut faire après la visite.*
(40 mots minimum)

ACTIVITÉ 15

*Vous voulez passer le week-end à Bruxelles, en Belgique. Vous écrivez un courriel
à un(e) ami(e) belge et vous lui proposez de venir avec vous. Vous lui dites les dates de
départ et de retour. Vous lui proposez des activités à faire sur place. (40 mots minimum)*

ACTIVITÉ 16

*Vous laissez un message à votre voisin pour lui proposer de venir chez vous pour un
barbecue. Vous lui dites qui vient et quand (date, heure). Vous lui donnez votre numéro
de téléphone et la date limite pour répondre à votre invitation. (40 mots minimum)*

ACTIVITÉ 17

*Vous habitez en France. Vous écrivez un courriel à un(e) ami(e) pour lui proposer de passer
une semaine chez vous. Vous lui dites à quelle date venir et quelles activités vous pouvez
faire. Vous lui demandez ce qu'il (elle) aime boire et manger. (40 mots minimum)*

ACTIVITÉ 18

*C'est l'anniversaire d'un(e) ami(e) français(e). Vous lui écrivez un courriel pour l'inviter
au cinéma. Vous lui proposez un rendez-vous (quand, où). Vous lui dites quels films il y a
et vous lui demandez ce qu'il (elle) veut faire après. (40 mots minimum)*

ACTIVITÉ 19

*Vous habitez en France et vous voulez faire du théâtre. Vous écrivez à un(e) ami(e)
pour lui proposer de s'inscrire avec vous. Vous lui dites où est l'école, quel transport
utiliser et quand est le cours. Vous lui demandez de répondre aujourd'hui.*
(40 mots minimum)

III ORALE

A comme... *aborder la production orale*

Description de l'épreuve

L'épreuve de **production orale** est l'épreuve individuelle du DELF A1.
Vous avez **10 minutes** pour préparer l'échange d'informations (partie 2) et le dialogue simulé (partie 3).
Ensuite, l'examen oral dure entre **5 et 7 minutes**. Vous passez seul(e) devant l'examinateur.

L'épreuve de production orale se déroule en trois parties :

- **L'entretien dirigé** (1 à 2 minutes)
L'examinateur vous pose des questions simples sur vous, votre famille, vos goûts, vos activités, etc.
Il faut répondre avec des phrases simples et complètes.
Cette partie de l'épreuve ne se prépare pas.

- **L'échange d'information** (2 minutes environ)
Avant l'examen, vous tirez 6 cartes au sort.
Pendant l'oral, vous posez des questions simples à l'examinateur à l'aide du mot ou du groupe de mots écrits sur les cartes. Dans votre question, vous pouvez utiliser le mot des cartes ou reprendre l'idée.
Vous pouvez consulter vos notes pendant l'échange d'informations. L'examinateur donne des réponses simples à vos questions.

- **Le dialogue simulé** (2 minutes environ)
Avant l'examen, vous tirez 2 sujets au sort. Vous en choisissez **1**.
Pendant l'oral, vous simulez une situation de communication avec l'examinateur. Le rôle de client est attribué au candidat, l'autre rôle à l'examinateur. Vous pouvez consulter vos notes pendant l'interaction.

Pour vous aider...

Voici quelques conseils pour vous aider à préparer l'épreuve de production orale.

La préparation (10 minutes)

→ Saluez l'examinateur.
→ Tirez au sort 6 cartes pour la partie 2 (échange d'informations) et 2 sujets pour la partie 3 (dialogue simulé).
→ Choisissez **un** sujet pour **chaque** partie.

L'épreuve (entre 5 et 7 minutes)

Pendant toute l'épreuve de production orale, l'examinateur est là pour vous évaluer et vous aider si vous avez des difficultés.

→ Quand vous entrez dans la salle d'examen, saluez l'examinateur et installez-vous. Rappelez-vous que c'est un examen officiel : il faut utiliser le *vous*.
→ Essayez de rester naturel, souriant et de bien articuler.
→ Soyez confiant(e) : il est normal d'hésiter et de faire des erreurs. Vous pouvez demander à l'examinateur de répéter ou de reformuler une question si vous ne comprenez pas.
→ Soyez stratégique : vous avez oublié un mot ? Essayez de reformuler, d'expliquer ce que vous voulez dire d'une autre manière.
→ L'examinateur prend des notes ? C'est normal, il note les éléments positifs et les éléments à améliorer.

L'entretien dirigé

Pendant l'entretien, l'examinateur vous pose des questions simples sur vous.

Il est **inutile** de mémoriser une description personnelle avant l'examen. L'examinateur veut entendre des réponses spontanées. Essayez de ne pas répondre seulement par « oui » ou par « non » : formulez des phrases complètes et donnez des détails.

→ Consultez la partie *B comme... brancher* pour voir un exemple de questions.

Échange d'information

Quand l'examinateur vous donne la parole pour la deuxième partie, prenez l'initiative et posez des questions à l'aide du mot (ou du groupes de mots) sur les cartes. Il est inutile de lire ces mots à l'examinateur. Il faut varier la formulation des questions : inversion verbe-sujet, structure *est-ce que*, mots interrogatifs (*pourquoi, où, quand, comment, qui,* etc.).

→ Consultez la partie *B comme... brancher* pour voir un exemple de sujet.

Dialogue simulé

Pendant la préparation, vous pouvez utiliser votre brouillon pour noter les informations nécessaires et/ou les questions que vous allez poser à l'examinateur.

Pour commencer le dialogue simulé, vous prenez la parole pour saluer et obtenir des biens ou des services. Pensez à consulter votre brouillon si c'est nécessaire.

→ Consultez la partie *B comme... brancher* pour voir un exemple de sujet.

B comme... *brancher*

Pour préparer l'épreuve de production orale, réalisez les activités suivantes. Pensez à appliquer les recommandations données dans la partie *A comme... aborder la production orale.*

I Entretien dirigé

Répondez aux questions de l'examinateur.

Quel est votre nom ? Quelle est votre nationalité ? Parlez-moi de votre famille. Où habitez-vous ? Vous aimez le sport ? Qu'est-ce que vous aimez faire le week-end ?

→ Entraînez-vous à l'aide de ces questions, et ensuite, consultez la partie *C comme... contrôler la production orale* p. 138.

II Échange d'informations

ACTIVITÉ 1

Posez des questions à l'examinateur à l'aide des mots écrits sur les cartes.

| Date de naissance ? | Adresse ? | Situation familiale ? | Sport ? | Manger ? | Ordinateur ? |

→ Entraînez-vous à l'aide de ces questions, et ensuite, consultez la partie *C comme... contrôler la production orale* p. 138.

III Dialogue simulé

ACTIVITÉ 1

Guides touristiques

Vous habitez à Rennes, en France. Vous voulez visiter de nouveaux endroits. Vous vous informez sur les guides touristiques et leur prix. Vous choisissez un produit et vous payez.
L'examinateur joue le rôle du libraire.

→ Entraînez-vous à l'aide de ces questions, et ensuite, consultez la partie *C comme... contrôler la production orale* p. 138.

Après avoir réalisé les activités, vous pouvez évaluer vos réponses à l'aide de la grille d'évaluation et de la proposition de correction.

Grille d'évaluation

L'examinateur utilise une grille d'évaluation de la production orale. C'est la même grille pour tous les candidats du DELF A1.

La production orale est notée sur **25 points**.

- Les 3 parties de l'épreuve sont notées sur **16 points** :
  - l'entretien dirigé est noté sur 5 points,
  - l'échange d'informations est noté sur 4 points,
  - l'échange simulé est noté sur 7 points ;
- Pour l'ensemble des trois épreuves, le niveau linguistique est noté sur **9 points** :
  - le lexique est noté sur 3 points,
  - la morphosyntaxe est notée sur 3 points,
  - la maîtrise du système phonologique est notée sur 3 points.

Critères de la grille d'évaluation

//////////// **I** Entretien dirigé /// /5 points

Peut se présenter et parler de soi en répondant à des questions personnelles simples, lentement et clairement formulées.	0	0,5	1	1,5	2	2,5	3	3,5	4	4,5	5

➜ Ce critère permet de vérifier que vous pouvez vous présenter de manière simple et donner des informations personnelles (identité, famille, goûts, etc.).

//////////// **II** Échange d'informations /// /4 points

Peut se présenter et parler de soi en répondant à des questions personnelles simples, lentement et clairement formulées.	0	0,5	1	1,5	2	2,5	3	3,5	4

➜ Ce critère permet de vérifier que vous pouvez poser des questions simples pour demander des informations personnelles.

➜ Vous êtes capable de comprendre les réponses de l'examinateur.

//////////// **III** Dialogue simulé /// /7 points

Peut demander ou donner quelque chose à quelqu'un, comprendre ou donner des instructions simples sur des sujets concrets de la vie quotidienne.	0	0,5	1	1,5	2	2,5	3	3,5	4

➜ Ce critère permet de vérifier que vous pouvez demander et obtenir des informations sur les produits qui vous intéressent (par exemple : le prix d'un article, la durée d'un trajet, la taille d'un vêtement, etc.).

➜ Vous êtes également capable de donner des informations pour expliquer quel genre de biens ou services vous voulez obtenir.

➜ Enfin, vous pouvez donner la somme d'argent correcte pour payer.

Peut établir un contact social de base en utilisant les formules de politesse les plus appropriées.	0	0,5	1	1,5	2	2,5	3

➜ Ce critère permet de vérifier que vous pouvez utiliser les formules de politesse les plus simples pour saluer, demander quelque chose (*s'il vous plaît*...), remercier et prendre congé (*au revoir*...).

//////// **IV** **Pour toute l'épreuve de production orale : Partie linguistique** //////// **/9 points**

Lexique : étendue lexicale et correction lexicale Peut utiliser un répertoire élémentaire de mots et d'expressions isolés relatifs à des situations concrètes.	0	0,5	1	1,5	2	2,5	3

➜ Ce critère permet de vérifier que vous êtes capable d'utiliser le vocabulaire de niveau A1 et qu'il est approprié à la situation de communication (lexique de la famille, des activités, de la vie quotidienne, etc.).

Morphosyntaxe et correction grammaticale Peut utiliser de façon limitée des structures très simples.	0	0,5	1	1,5	2	2,5	3

➜ Ce critère permet de vérifier que vous pouvez utiliser les règles de base de grammaire (accord du masculin/féminin et du singulier/pluriel) et de conjugaison du niveau A1.

➜ Vous êtes aussi capable de formuler des phrases simples et bien construites (sujet + verbe + complément).

Maîtrise du système phonologique Peut prononcer de manière compréhensible un répertoire limité d'expressions mémorisées.	0	0,5	1	1,5	2	2,5	3

➜ Ce critère permet de vérifier que vous pouvez prononcer des mots ou des phrases simples de manière correcte, même si l'examinateur vous demande de répéter ce que vous dites.

//////////// **I** **Entretien dirigé** **(environ 1 à 2 minutes)** ///

Répondez aux questions de l'examinateur. ///

Quel est votre nom ? Quelle est votre nationalité ? Parlez-moi de votre famille. Où habitez-vous ?
Vous aimez le sport ? Qu'est-ce que vous aimez faire le week-end ?

- *Quel est votre nom ? Quelle est votre nationalité ?* Ce sont des questions sur votre identité.

  → Je m'appelle Luis. / Je m'appelle Luis Sánchez. / Je suis espagnol. ◄

  > Attention: ces réponses ne sont pas correctes : ~~Mon nom est Luis Sánchez, ma nationalité est espagnole.~~

- *Parlez-moi de votre famille.* Cette question sur votre famille est une question ouverte. Cela veut dire que vous pouvez donner des réponses très variées. Voici quelques exemples :

  → Maikku, candidate finlandaise : Je vis avec mon mari et mes enfants. ◄
  Mon mari s'appelle Jussi, il est finlandais. Nous avons deux enfants.
  Mon fils s'appelle Mika, il a 8 ans. Ma fille s'appelle Nina et elle a 6 ans.

  > Ici, la candidate parle de son mari et de ses enfants.

  → Carlos, candidat mexicain : J'ai deux sœurs et trois frères. Mes sœurs ◄
  s'appellent María et Pilar. Mes frères s'appellent Jorge, Roberto et Fermín.
  Mes parents s'appellent Concepción et Alberto, ils habitent au Mexique.

  > Dans ce cas, Carlos décide de parler de ses parents, ses frères et ses sœurs.

- *Où habitez-vous ?* Cette question peut concerner votre logement, votre quartier, votre ville, etc.

  → Montse, candidate espagnole : J'habite dans un appartement ◄
  dans le quartier de Gràcia, à Barcelone. Je vis avec mon colocataire.
  Il s'appelle Juanma.

  > L'examinateur demande à Montse où elle habite. Montse répond à la question car elle parle de son appartement et elle dit le nom de son quartier. Elle mentionne un autre détail : le prénom de son colocataire.

  → Gary, candidat canadien (anglophone) : J'habite à Montréal, ◄
  dans le quartier de Saint-Laurent. Dans mon quartier, il y a le musée
  des maîtres et artisans du Québec.

  > Dans cet exemple, Gary décide de parler de son quartier et informe l'examinateur qu'il y a un musée.

- *Qu'est-ce que vous aimez faire le week-end ?* Cette question concerne vos habitudes, vos goûts et vos loisirs. Par exemple :

  → Le samedi, j'aime courir au parc avec mon meilleur ami.
  → Le dimanche, je vais manger chez mes parents.
  → Le week-end, je vois mes amis et je vais au restaurant avec eux.
  → J'aime aller au cinéma le dimanche après-midi.

Il est **inutile** de préparer l'entretien, votre présentation doit être spontanée.

ACTIVITÉ 1

Posez des questions à l'examinateur à l'aide des mots écrits sur les cartes.

| Date de naissance ? | Adresse ? | Situation familiale ? | Sport ? | Manger ? | Ordinateur ? |

Vous devez poser des questions simples en reprenant les mots sur les cartes ou en reprenant l'idée.
Regardez ce tableau :

Mot(s) sur la carte	Questions	
	... avec reprise du (des) mot(s) sur la carte	... avec reprise de l'idée
Date de naissance ?	Quelle est votre *date de naissance* ?	Quel âge avez-vous ? ◄
Adresse ?	Quelle est votre *adresse* ?	Où habitez-vous ? Quel est le nom de votre rue ?
Situation familiale ?	Quelle est votre *situation familiale* ?	Vous êtes célibataire ou marié(e) ? ◄
Sport ?	Est-ce que vous aimez le *sport* ? Avec qui ◄ faites-vous du *sport* ?	Est-ce que vous faites une activité sportive ? ◄ Est-ce que vous aimez le football ? ◄
Manger ?	Le soir, à quelle heure *mangez*-vous ?	Quel est votre plat préféré ? Est-ce que vous aimez aller au restaurant ?
Ordinateur ?	Avez-vous un *ordinateur* ? De quelle marque est votre *ordinateur* ?	Est-ce que vous aimez l'informatique ?

Dans cet exemple, vous n'êtes pas obligé de demander la date de naissance de l'examinateur, vous pouvez simplement lui demander son âge.
Vous n'utilisez pas le groupe de mots de la carte, mais vous conservez l'idée.

Pensez à varier la formulation. Ici, vous pouvez demander : " Êtes-vous célibataire ou marié(e) ? " ou " Est-ce que vous êtes célibataire ou marié(e) " ?

Vous pouvez utiliser un dérivé du mot : sport → *sportive*...

... ou remplacer sport par un nom de sport, comme le *football*.

Vous pouvez varier les questions à partir du même mot.

Pensez à varier la formulation des questions et utilisez des mots interrogatifs comme *qui, où, quand*, etc.

Vous jouez la situation proposée.

ACTIVITÉ 1

Guides touristiques //

Vous habitez à Rennes, en France. Vous voulez visiter de nouveaux endroits. Vous vous informez sur les guides touristiques et leur prix. Vous choisissez un produit et vous payez.
L'examinateur joue le rôle du libraire.

Pensez au contexte : l'examinateur joue le rôle du libraire. La situation est formelle, donc vous devez lui dire *vous*.

Pour commencer la situation, vous saluez le libraire.

- Vous expliquez ce que vous voulez : *J'habite à Rennes. Je veux voyager. Je veux découvrir de nouveaux lieux en France. Je cherche un guide touristique.*

- Vous pouvez donner des informations au libraire : *Je veux un guide touristique pas cher. Je veux un guide petit et pratique.*

- Vous pouvez demander des informations au libraire : *Est-ce que vous avez des guides touristiques sur la France ? sur les villes de France ? Quel guide est-ce que vous me recommandez ? Est-ce que ce guide est utile ? Quel est le prix ?*

- Vous n'êtes pas obligé d'utiliser les images du sujet. Par exemple, vous pouvez demander : *Est-ce que vous avez un guide sur la Provence ? Combien coûte le guide touristique sur la ville de Lille ?*

- Vous choisissez votre produit : *Je vais acheter le guide de Paris. Je veux le guide « 1 000 idées de vacances en France ». Je vais prendre ce guide.*

- Vous utilisez les images de monnaie fictive (en euros) pour payer.

Pour terminer l'interaction, vous remerciez le libraire et vous prenez congé.

D comme... DELF

I | **Entretien dirigé**

Préparer l'entretien dirigé

ACTIVITÉ 2

S'entraîner à parler :

Pour vous préparer à répondre aux questions de l'examinateur, il faut vous entraîner à faire des phrases à l'oral. Parlez de vous à l'aide de ces mots.

nom   ville   nationalité   meilleur(e) ami(e)

âge   voyager

sport

habiter   parents   profession   activité

horaires

spectacle   dîner   plage

Quand vous avez terminé l'activité 2, faites les activités 3 à 8 pour répondre à des questions sur 6 thèmes différents.

ACTIVITÉ 3 **PARLER DE SOI**

Répondez à ces questions :

- Comment est-ce que vous vous appelez ? Quel âge avez-vous ? Quelle est votre nationalité ? Votre prénom, comment ça s'écrit ?
- Quelle est votre ville d'origine ? Quel est votre pays d'origine ? Où êtes-vous né(e) ?
- Quelle est votre profession ? Quel poste occupez-vous dans votre entreprise ?
- Qu'est-ce que vous étudiez à l'université ? Pourquoi est-ce que vous étudiez le français ?

ACTIVITÉ 4 **PARLER DE SA FAMILLE ET DE SES AMIS**

Répondez à ces questions :

- Quelle est votre situation familiale ? Vous êtes célibataire ? marié(e) ?
- Parlez-moi de votre famille. Où habitent vos parents ? Est-ce que vous les voyez souvent ?
- Vous avez des frères ou des sœurs ? Ils habitent où ? Qu'est-ce qu'ils font dans la vie ?
- Est-ce que vous avez des enfants ? Combien ? Ils ont quel âge ?
- Parlez-moi de vos amis. Est-ce que vous les voyez tous les jours ? Qu'est-ce que vous aimez faire avec eux ?

D comme... DELF

///

ACTIVITÉ 5 **PARLER DE SON LOGEMENT ET DE SA VILLE**

Répondez à ces questions : ///

- Où habitez-vous ? Est-ce que c'est loin d'ici ?
- Parlez-moi de votre logement. Vous avez une maison ou un appartement ? Est-ce que votre logement est grand ?
- Vous vivez seul ? Avec qui vivez-vous ?
- Parlez-moi de votre ville. Vous vivez dans quel quartier ? Où aimez-vous sortir ? Dans quels magasins aimez-vous aller faire vos achats ?

ACTIVITÉ 6 **PARLER DE SES HABITUDES**

Répondez à ces questions : ///

- Racontez-moi une journée habituelle. À quelle heure est-ce que vous vous levez ? À quelle heure vous couchez-vous les soirs de semaine ?
- Qu'est-ce que vous prenez pour le petit déjeuner ? Vous dînez à quelle heure ? Qu'est-ce que vous aimez manger ? Quel est votre plat préféré ? Votre boisson préférée ?
- Vous finissez le travail / les cours à quelle heure ? Qu'est-ce que vous faites le soir ?
- Vous étudiez à quelle université / à quelle école de langues ? Quand avez-vous votre cours de français ?
- Qu'est-ce que vous faites le samedi et le dimanche ?

ACTIVITÉ 7 **PARLER DE SES GOÛTS ET DE SES LOISIRS**

Répondez à ces questions : ///

- Vous aimez le sport ? Est-ce que vous pratiquez une activité sportive ? Laquelle ? Où ? Quand ? Avec qui ?
- Est-ce que vous faites du théâtre ? De la danse ? Est-ce que vous jouez d'un instrument de musique ?
- Est-ce que vous aimez le cinéma ? Quel genre de film préférez-vous ?
- Quel genre de musique est-ce que vous écoutez ? Est-ce que vous avez un chanteur ou un groupe préféré ? Vous allez souvent à des concerts ?
- Quelles autres activités aimez-vous faire ?

ACTIVITÉ 8 **PARLER DE SES VACANCES**

Répondez à ces questions : ///

- Où allez-vous en vacances ? Quelles activités aimez-vous faire en vacances ? Avec qui ?
- Est-ce que vous aimez la mer ? La montagne ? La campagne ?
- Pendant les vacances, vous préférez dormir dans quel type d'hébergement ?
- Quelle est votre ville préférée pour les vacances ? Quel pays étranger voulez-vous visiter pour les vacances ? Pourquoi ?
- Est-ce que vous aimez partir le week-end ? Où et avec qui ?

//////////// **II** Échange d'informations //

ACTIVITÉ 2

Posez des questions à l'examinateur à l'aide des mots écrits sur les cartes. ////////////////////////////////

Bande dessinée ?	Boulangerie ?	Heure ?	Natation ?	Couleur ?	Lit ?

ACTIVITÉ 3

Posez des questions à l'examinateur à l'aide des mots écrits sur les cartes. ////////////////////////////////

Aimer ?	Diplôme ?	Travail ?	Vélo ?	Jeux vidéo ?	Chocolat ?

ACTIVITÉ 4

Posez des questions à l'examinateur à l'aide des mots écrits sur les cartes. ////////////////////////////////

Appartement ?	Eau ?	Étudiant ?	Football ?	Frère / sœur ?	Restaurant ?

ACTIVITÉ 5

Posez des questions à l'examinateur à l'aide des mots écrits sur les cartes. ////////////////////////////////

Université ?	Ami / amie ?	Voyager ?	Chien ?	Télévision ?	Chambre ?

ACTIVITÉ 6

Posez des questions à l'examinateur à l'aide des mots écrits sur les cartes. ////////////////////////////////

Vacances ?	Jardin ?	Animal ?	Collègues ?	Nationalité ?	Livre ?

ACTIVITÉ 7

Posez des questions à l'examinateur à l'aide des mots écrits sur les cartes. ////////////////////////////////

Se promener ?	Soleil ?	Cinéma ?	Famille ?	Supermarché ?	Chat ?

ACTIVITÉ 8

Posez des questions à l'examinateur à l'aide des mots écrits sur les cartes. ////////////////////////////////

Profession ?	Détester ?	Rue ?	Danser ?	Langues ?	Théâtre ?

D comme... DELF

//

ACTIVITÉ 9

Posez des questions à l'examinateur à l'aide des mots écrits sur les cartes. ////////

| Quartier ? | Activités ? | Rugby ? | Courriel ? | Cadeaux ? | Pizza ? |

ACTIVITÉ 10

Posez des questions à l'examinateur à l'aide des mots écrits sur les cartes. ////////

| Ville ? | Poisson ? | Anniversaire ? | Chapeau ? | Tennis ? | Café ? |

ACTIVITÉ 11

Posez des questions à l'examinateur à l'aide des mots écrits sur les cartes. ////////

| Repas ? | Téléphone ? | Fête ? | Âge ? | Courses ? | Karaté ? |

ACTIVITÉ 12

Posez des questions à l'examinateur à l'aide des mots écrits sur les cartes. ////////

| Enfant ? | Parc ? | Maison ? | Voiture ? | Passion ? | Écrire ? |

ACTIVITÉ 13

Posez des questions à l'examinateur à l'aide des mots écrits sur les cartes. ////////

| Plage ? | Célibataire ? | Magasin ? | Basket-ball ? | Pâtisserie ? | Internet ? |

ACTIVITÉ 14

Posez des questions à l'examinateur à l'aide des mots écrits sur les cartes. ////////

| Lire ? | Cuisine ? | Ski ? | Pays ? | Vêtements ? | Mer ? |

ACTIVITÉ 15

Posez des questions à l'examinateur à l'aide des mots écrits sur les cartes. ////////

| Montagne ? | Bibliothèque ? | Musique ? | Boisson ? | Piscine ? | Visiter ? |

ACTIVITÉ 16

Posez des questions à l'examinateur à l'aide des mots écrits sur les cartes.

| Roller ? | Discothèque ? | Artiste ? | Hôtel ? | Neige ? | Boire ? |

ACTIVITÉ 17

Posez des questions à l'examinateur à l'aide des mots écrits sur les cartes.

| Gare ? | Guitare ? | Magazine ? | Été ? | Temps libre ? | Parents ? |

ACTIVITÉ 18

Posez des questions à l'examinateur à l'aide des mots écrits sur les cartes.

| Saison ? | Dimanche ? | Librairie ? | Métier ? | Viande ? | Volley-ball ? |

ACTIVITÉ 19

Posez des questions à l'examinateur à l'aide des mots écrits sur les cartes.

| Randonnée ? | Bar ? | Automne ? | Anglais ? | Légumes ? | Chanson ? |

ACTIVITÉ 20

Posez des questions à l'examinateur à l'aide des mots écrits sur les cartes.

| Taille ? | Apprendre ? | Après-midi ? | Bureau ? | Radio ? | Boutique ? |

ACTIVITÉ 21

Posez des questions à l'examinateur à l'aide des mots écrits sur les cartes.

| Sciences ? | Dessert ? | Campagne ? | Moto ? | Film ? | Samedi ? |

III Dialogue simulé

Vous jouez la situation proposée. Lors de l'examen officiel, vous disposez d'euros fictifs, pièces et billets. Dans cette partie, nous mettons à votre disposition des activités aux contextes (et monnaies) variés.

A. Dans un magasin

ACTIVITÉ 2

À l'épicerie ///

Vous êtes dans une épicerie à Paris, en France. Vous demandez le prix de trois ou quatre produits.
Vous choisissez quels produits vous voulez et vous les achetez.
L'examinateur joue le rôle de l'épicier.

ACTIVITÉ 3

Cadeau d'anniversaire ///

Vous êtes en France. C'est l'anniversaire d'un(e) ami(e). Vous voulez lui acheter un cadeau. Vous allez dans un
centre commercial. Vous demandez le prix des articles, vous choisissez et vous payez.
L'examinateur joue le rôle du vendeur.

ACTIVITÉ 4

Au magasin de musique ///

Vous habitez en France. Vous allez dans votre pays d'origine pour les vacances.
Vous voulez acheter des CD pour votre famille et vos amis. Vous allez dans un magasin de musique. Vous posez
des questions sur les artistes et les prix. Vous choisissez et vous payez.
L'examinateur joue le rôle du vendeur.

ACTIVITÉ 5

À la papeterie //

Vous étudiez le français dans la ville de Québec, au Canada. Vous êtes dans une papeterie pour acheter 3 ou
4 produits. Vous demandez le prix des articles qui vous intéressent et vous payez.
L'examinateur joue le rôle du vendeur
Attention : au Québec, on utilise des dollars canadiens, pas des euros.

ACTIVITÉ 6

À la pâtisserie

Vous habitez en France. C'est votre anniversaire. Vous allez le fêter avec vos amis français. Vous allez à la pâtisserie et vous demandez des informations sur les gâteaux (ingrédients, prix). Vous choisissez votre gâteau d'anniversaire et vous payez.
L'examinateur joue le rôle du pâtissier.

ACTIVITÉ 7

À la boutique multimédia

Vous êtes dans un magasin de matériel multimédia de Charleroi, en Belgique. Vous demandez le prix des articles qui vous intéressent. Puis, vous payez vos achats.
L'examinateur joue le rôle du vendeur.

ACTIVITÉ 8

Cadeau pour un ami

Vous êtes à Versailles, en France. Un ami vous invite à dîner et vous voulez apporter quelque chose.
Vous allez dans un magasin gourmet. Vous vous informez sur le prix des articles. Vous choisissez un article et vous payez.
L'examinateur joue le rôle du vendeur.

ACTIVITÉ 9

Livre de recettes

Vous étudiez en France. Vous participez à un concours de cuisine internationale. Vous vous renseignez sur les livres de recettes. Vous choisissez un ou deux produits. Vous demandez le prix et vous payez. *L'examinateur joue le rôle du libraire.*

ACTIVITÉ 10

Souvenirs de Paris

Vous visitez Paris, en France. Vous voulez acheter des cadeaux pour votre famille. Vous vous renseignez sur le prix des articles. Vous choisissez des cadeaux et vous payez. *L'examinateur joue le rôle du vendeur.*

ACTIVITÉ 11

Au magasin de vêtements

Vous entrez dans une boutique de vêtements à Montréal, au Québec. Vous posez des questions au vendeur sur la taille, la couleur et le prix. Vous choisissez deux ou trois vêtements et vous payez vos achats. *L'examinateur joue le rôle du vendeur.*

Attention : au Québec, on utilise des dollars canadiens, pas des euros.

B. Dans un lieu public

ACTIVITÉ 1

Dans un restaurant

Vous êtes dans un restaurant à Lausanne, en Suisse. Vous êtes avec des amis qui ne parlent pas français. Vous demandez des informations sur les plats (spécialités suisses, ingrédients, prix, etc.). Vous commandez et vous payez le repas.

L'examinateur joue le rôle du serveur.

Attention : en Suisse, on utilise des francs suisses, pas des euros.

ACTIVITÉ 2

Réservation d'hôtel

Vous êtes en France pour votre travail. Vous allez dans un hôtel. Vous vous renseignez sur les chambres (tarifs des chambres, services inclus). Vous choisissez votre chambre et vous payez.

L'examinateur joue le rôle de l'employé de l'hôtel.

ACTIVITÉ 3

Au cinéma

Vous êtes à Lille, en France. Vous voulez voir un film avec un ami. Vous demandez les horaires des séances et les prix. Vous achetez deux tickets.

L'examinateur joue le rôle du caissier.

ACTIVITÉ 4

À la piscine

Vous êtes à Fribourg, en Suisse. Vous allez à la piscine. Vous demandez des informations sur les horaires et les tarifs. Vous achetez un ticket et vous payez.

L'examinateur joue le rôle de l'employé de piscine.

Attention : en Suisse, on utilise des francs suisses, pas des euros.

ACTIVITÉ 5

Au salon de thé

Vous êtes dans un salon de thé à Tours, en France. Vous vous informez sur les produits. Vous choisissez et vous payez.

L'examinateur joue le rôle de l'employé.

ACTIVITÉ 6

Concert //

Vous visitez la France. Vous voulez aller à un concert. Vous allez à la billetterie d'un grand magasin. Vous vous informez sur les concerts (lieux, dates, horaires, prix, etc.) et les tarifs. Vous achetez un billet et vous payez.

L'examinateur joue le rôle du caissier.

ACTIVITÉ 7

Au cinéma //

Vous habitez à Longueuil, au Québec. Vous êtes à l'agence de voyages et vous vous informez sur les vacances organisées. Vous demandez le tarif des services proposés. Vous choisissez deux ou trois services et vous payez.

L'examinateur joue le rôle de l'employé.

Attention : au Québec, on utilise des dollars canadiens, pas des euros.

ACTIVITÉ 8

Pièce de théâtre //

Vous êtes dans un grand magasin de Genève, en Suisse. Vous souhaitez voir une pièce de théâtre. Vous allez à la billetterie d'un magasin. Vous posez des questions sur les pièces de théâtre et vous demandez les horaires. Vous achetez un ticket et vous payez.

L'examinateur joue le rôle du caissier.

Attention : en Suisse, on utilise des francs suisses, pas des euros.

ACTIVITÉ 9

À la bibliothèque //

Vous êtes à Fort-de-France, en Martinique. Vous allez à la bibliothèque pour une inscription. Vous vous renseignez sur les horaires de la bibliothèque, les documents à présenter pour l'inscription et les tarifs.

L'examinateur joue le rôle du bibliothécaire.

ACTIVITÉ 10

À l'université //

Vous étudiez à l'UQAM (Université du Québec à Montréal). Vous allez à la cafétéria. Vous demandez le prix de plusieurs produits. Vous choisissez ce que vous voulez et vous payez vos produits.

L'examinateur joue le rôle du caissier de la cafétéria.

Attention : au Québec, on utilise des dollars canadiens, pas des euros.

Épreuves TYPES

Delf blanc 1 //

/////////// **Compréhension orale** // ....**/25 points**

EXERCICE 1 .... **/4 points**

Vous écoutez ce message de votre ami français. //
Lisez les questions. Écoutez le document, puis répondez aux questions.

PISTE 51

1 ● Gérald vous propose d'aller à... .... /1 point

a. ☐   b. ☐   c. ☐

2 ● Pour quelle occasion ? .... /1 point

_____

3 ● Il vient vous chercher à... .... /1 point
     a. ☐ 19 h 40.
     b. ☐ 20 h 00.
     c. ☐ 20 h 10.

4 ● Combien coûte le menu ? .... /1 point

_____

EXERCICE 2 ..../5 points

Vous êtes en Belgique. Vous écoutez une émission à la radio. ///
Lisez les questions. Écoutez le document, puis répondez aux questions.

PISTE 52

1 • À quelle vitesse souffle le vent ? ..../1 point

2 • Ce matin, le temps en Belgique est... ..../1 point

a. ❏   b.  ❏   c. ❏

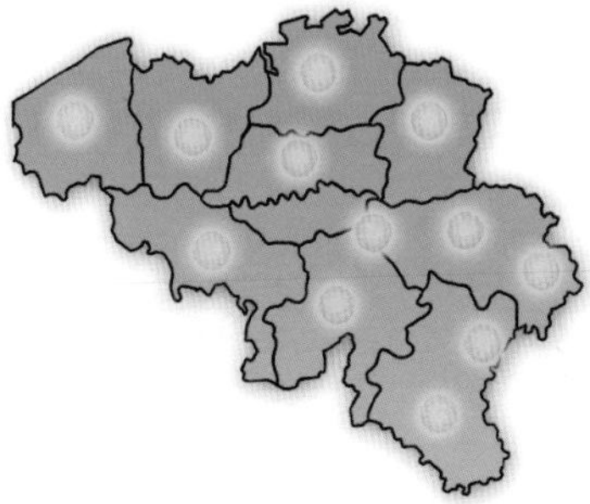

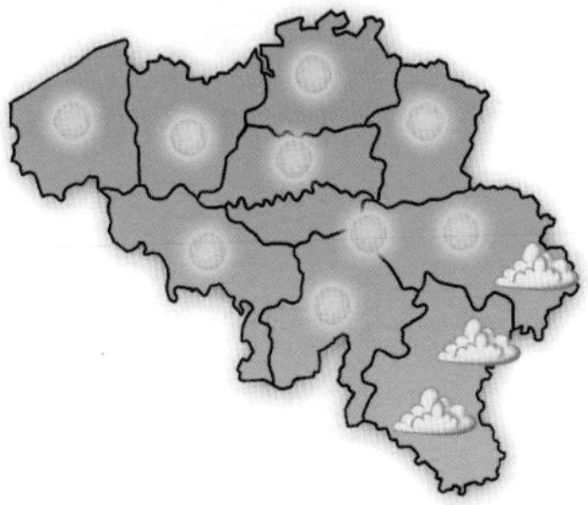

3 • Dans quelle ville fait-il 12 °C ? ..../1 point
   a. ❏ Liège.
   b. ❏ Namur.
   c. ❏ Anvers.

4 • Comment est la qualité de l'air ? ..../2 points

EXERCICE 3 ..../6 points

Vous entendez ce message sur votre répondeur. ///
Lisez les questions. Écoutez le document, puis répondez aux questions.

PISTE 53

1 • À partir de quand devez-vous utiliser un code ? ..../2 points

2 • Quel est le numéro du code ? ..../2 points

3 • Mme Raymond est la... ..../1 point
   a. ❏ locataire.
   b. ❏ gardienne.
   c. ❏ propriétaire.

4 • Quel jour est-ce que Mme Raymond n'est pas là ? ..../1 point
   a. ❏ Le lundi.
   b. ❏ Le mercredi.
   c. ❏ Le vendredi.

EXERCICE 4

Vous allez entendre cinq petits dialogues. Ils correspondent à cinq situations //////////
différentes. Associez chaque dialogue à une image.

PISTE 54

Attention ! Il y a 6 images, mais 5 dialogues seulement.

A — Situation n° ....

B — Situation n° ....

C — Situation n° ....

D — Situation n° ....

E — Situation n° ....

F — Situation n° ....

EXERCICE 1 ..../6 points

Vous recevez ce courriel d'une amie belge.

De : lea.gould@gen.com
Objet : Ce week-end

Salut,
Ça va ? Je ne peux pas venir jouer au badminton jeudi soir parce que j'ai une réunion de travail.
Dimanche, mes deux frères viennent à la maison. Tu veux manger avec nous ? Rendez-vous à midi.
Après nous allons à la piscine.
Appelle-moi vendredi, avant 20 h.
Bises,
Léa

Répondez aux questions.

1 ● Léa ne peut pas jouer au badminton... ..../1 point
    a. ❑ jeudi.
    b. ❑ vendredi.
    c. ❑ dimanche.

2 ● Elle écrit pour... ..../1 point
    a. ❑ vous inviter à manger.
    b. ❑ vous demander une faveur.
    c. ❑ vous annoncer une nouvelle.

3 ● Qui vient chez Léa ? ..../2 points

....

4 ● À quelle heure ? ..../1 point

....

5 ● Dimanche, quelle activité est-ce que Léa vous propose ? ..../1 point
    a. ❑   **b.** ❑   **c.** ❑

Vous visitez la France. Vous lisez cette affiche dans la rue. ///

RECHERCHE CHIEN

Je recherche mon chien, perdu le jeudi 8 août. Il s'appelle Sammy. Il a 4 ans.
Il est noir et blanc, il porte un collier rouge et marron.

Si vous trouvez mon chien, appelez-moi au 06 78 26 03 29.
Si vous voulez l'apporter chez moi, voici mon adresse : 4 impasse des Jacinthes.
Quand vous partez de la place Foch, il faut prendre la rue de la Poterne,
puis tourner à droite après le stade de foot. J'habite dans la 2e rue à gauche,
dans la maison verte près de la piscine.

Merci pour votre aide,
Danièle

Répondez aux questions. ///

1 ● **Quel animal cherche Danièle ?** ..../1 point

---

2 ● **Danièle cherche Sammy depuis le...** ..../1 point
   a. ❑ 4 août.
   b. ❑ 6 août.
   c. ❑ 8 août.

3 ● **De quelle couleur est l'animal ?** ..../1 point
   a. ❑ Noir et gris.
   b. ❑ Noir et blanc.
   c. ❑ Noir et marron.

4 ● **À quel numéro pouvez-vous appeler Danièle ?** ..../1 point

---

5 ● **Dessinez sur le plan le trajet pour aller chez Danièle.** ..../2 points
   (2 points si le chemin est tracé, 0 point s'il n'y a que l'arrivée)

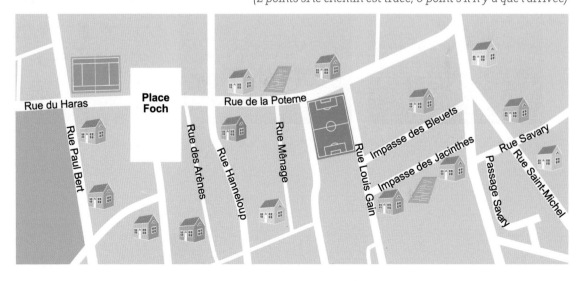

EXERCICE 3   .... /6 points

Vous travaillez en France et vous lisez ce courriel de votre responsable. //

De : directeur@creativite.fr
Objet : Visite du 03/12

Bonjour,

Six clients étrangers visitent notre entreprise le mercredi 3 décembre. Voici le programme :

– 9 h 00 - 10 h 00 : présentation de l'entreprise dans la grande salle de réunion
– 10 h 00 - 10 h 30 : pause (café et croissants servis dans la salle de pause)
– 10 h 30 - 11 h 15 : visite des bureaux
– 11 h 15 - 12 h 00 : visite des ateliers
– 12 h 00 - 14 h 00 : déjeuner au Septime
– 14 h 00 - 16 h 30 : présentation de nos nouveaux produits.

Pouvez-vous faire la visite des bureaux après la pause-café ?
Monsieur Funès va faire la visite guidée des ateliers.
Merci.

Cordialement,

M. Django
Directeur

Répondez aux questions. //

1 • À quelle date est la visite ?   .... /1 point

....

2 • Où est la présentation de l'entreprise ?   .... /1 point

....

3 • Qu'est-ce que vous pouvez boire pendant la pause ?   .... /1 point

....

4 • À quelle heure finit la présentation des nouveaux produits ?   .... /1 point

....

5 • Le directeur vous demande de faire visiter...   .... /2 points
    a. ❑ l'atelier.
    b. ❑ les bureaux.
    c. ❑ la salle de pause.

Vous lisez cet article dans un magazine.

Conseil pour un petit déjeuner équilibré

Prenez votre petit déjeuner chaque matin, à la même heure. Si vous n'avez pas faim, mettez des biscuits ou un fruit dans votre sac, et mangez-les avant de travailler.

Le matin, si vous n'avez pas le temps, vous pouvez préparer un bol de lait aux céréales. C'est un petit déjeuner rapide, mais pas équilibré.

Voici un exemple de petit déjeuner équilibré :
– un verre de lait ou un yaourt (pour les protéines) ;
– un fruit ou un verre de jus de fruits (pour la vitamine C) ;
– du pain grillé ou des céréales ;
– une boisson chaude : du thé (avec du miel) ou du café.

Bon appétit !

Répondez aux questions.

1 • À quel moment de la journée prenez-vous le petit déjeuner ? ..../1 point

    a. ☐   **b.** ☐   **c.** ☐

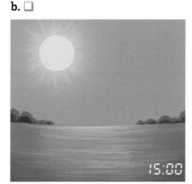 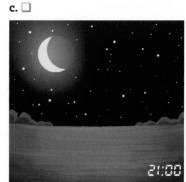

2 • Quand vous n'avez pas faim, qu'est-ce que vous pouvez manger avant le travail ?
(Deux réponses) ..../1 point

3 • Si vous voulez mangez rapidement, qu'est-ce que vous pouvez préparer ? ..../1 point

4 • Dans quel aliment est-ce qu'il y a des protéines ? ..../2 points
    a. ☐ Un café.
    b. ☐ Un fruit.
    c. ☐ Un yaourt.

5 • Il y a de la vitamine C dans... ..../2 points
    a. ☐ le lait.
    b. ☐ les biscuits.
    c. ☐ le jus de fruits.

Vous vous inscrivez dans un club de sports. Remplissez la fiche de renseignements. /////////////////////

CLUB DE REMISE EN FORME
———— Inscription ————

Nom : XXXXX

Prénom : .... /1 point

Adresse : .... /1 point

Ville : .... /1 point

Téléphone fixe : .... /1 point

Téléphone mobile : .... /1 point

Email : .... @ .... /1 point

Date de naissance : .... /1 point

Taille : .... /1 point

Poids : .... /1 point

Sport(s) préféré(s) : .... /1 point

Vous êtes en vacances chez des amis. Vous écrivez un courriel à un(e) ami(e) suisse pour lui raconter avec qui vous êtes et les activités que vous faites. (40 mots minimum) ////////

Objet : Vacances entre amis
_____

....

....

....

....

....

....

....

EXERCICE 1 ..../5 points

Répondez aux questions de l'examinateur.

Il vous pose des questions sur vous, votre famille, vos goûts ou vos activités. (Exemples : *comment est-ce que vous vous appelez ? Quelle est votre nationalité ?* Etc.)

_____

EXERCICE 2 ..../4 points

Posez des questions à l'examinateur à l'aide des mots écrits sur les cartes.

Nature ?	Dîner ?	Piano ?	Printemps ?	Stade ?	Numéro ?

_____

EXERCICE 3 ..../7 points

Vous jouez la situation qui vous est proposée.

Au café

Vous visitez la France avec des amis qui ne parlent pas français. Vous êtes dans un café à Tours.
Vous commandez les boissons au serveur et vous payez l'addition.
L'examinateur joue le rôle du serveur.

//////////// ▮ **Compréhension orale** /// .... **/25 points**

EXERCICE 1 .... /4 points

Vous habitez Bruxelles, en Belgique. Votre amie laisse ce message sur votre ///////////// *répondeur. Lisez les questions. Écoutez le document, puis répondez aux questions.*

PISTE 55

1 • Alexia vous invite quel jour ? .... /1 point

2 • Elle vous propose de faire... .... /1 point

a. ☐   b. ☐   c. ☐

3 • À quelle heure est le rendez-vous ? .... /1 point

4 • Qu'est-ce que vous devez apporter ? .... /1 point

    a. ☐ La salade.
    b. ☐ Les boissons.
    c. ☐ Les sandwichs.

EXERCICE 2 .... /5 points

Vous écoutez ces informations à la radio. ///
Lisez les questions. Écoutez le document, puis répondez aux questions.

PISTE 56

1 • Sur quelle autoroute devez-vous faire attention ? .... /2 points

2 • Pour quelle raison ? .... /1 point

a. ☐   b. ☐   c. ☐

3 • La vitesse est limitée à... .... /1 point

    a. ☐ 80 km/h.
    b. ☐ 90 km/h.
    c. ☐ 100 km/h.

4 • Pour plus d'informations, quel numéro faut-il appeler ? .... /1 point

EXERCICE 3 ..../6 points

Vous entendez ce message sur votre répondeur. //

Lisez les questions. Écoutez le document, puis répondez aux questions.

PISTE 57

1 • Où devez-vous aller ? ..../1 point

    a. ☐ À la librairie.   **b.** ☐ À la papeterie.   **c.** ☐ À la bibliothèque.

2 • Qu'est-ce que vous allez chercher ? ..../1 point

    a. ☐   **b.** ☐   **c.** ☐

3 • Quel jour ? ..../2 points

....

4 • À partir de quelle heure ? ..../2 points

....

EXERCICE 4 ..../10 points

(2 points par bonne réponse)

Vous allez entendre cinq petits dialogues. Ils correspondent à cinq situations ///////////////

différentes. Associez chaque dialogue à une image.

PISTE 58

Attention ! Il y a 6 images, mais 5 dialogues seulement.

Situation n°..............

Situation n°..............

Situation n°..............

Situation n°..............

Situation n°..............

Situation n°..............

EXERCICE 1 .... /6 points

Vous avez acheté un complément alimentaire. Vous lisez la notice d'utilisation.

VitaMinéraux – Notice

VitaMinéraux 100 gélules apporte des vitamines (A, C, D3 et E) et des minéraux (calcium, zinc, etc.) utiles pour votre corps. Ce produit est recommandé pour améliorer votre forme physique.

· Comment prendre *VitaMinéraux 100 gélules* ?

Chaque matin, prendre 2 gélules avec un grand verre d'eau.

C'est un programme de 2 mois, à prendre de préférence en automne.

POUR ADULTES UNIQUEMENT.

Pour les enfants à partir de 4 ans, utiliser *VitaMinéraux Junior.*

Prendre une cuillère de sirop le matin et une cuillère le soir. 3 saveurs disponibles : fraise, orange ou chocolat.

Répondez aux questions.

1 ● Pour quoi est conseillé *VitaMinéraux* ? .... /2 points

....

2 ● Dans *VitaMinéraux*, il n'y a pas de vitamines... .... /1 point
   a. ☐ B3.
   b. ☐ D3.
   c. ☐ E.

3 ● Comment un adulte doit prendre *VitaMinéraux* ? .... /1 point
   a. ☐ 2 gélules le soir.
   b. ☐ 2 gélules le matin.
   c. ☐ 1 gélule le matin et 1 le soir.

4 ● Pendant combien de temps devez-vous prendre *VitaMinéraux* ? .... /1 point

....

5 ● Quel goût a *VitaMinéraux Junior* ? .... /1 point
   a. ☐   **b.** ☐   **c.** ☐

Vous habitez Lausanne. Vous recevez ce message d'une amie suisse. //

De : lola@fmail.ch
Objet : Le réveillon du 31/12

Nous célébrons le Nouvel An, le 31 décembre, à 21 heures !

La fête n'est pas chez moi, mais au Refuge de Saugealles, à Épinlagues. Pour venir, c'est facile : quand tu es au Club de Golf de Lausanne, tu prends la route de Ballègue. Puis, tu tournes à gauche pour rester sur la route de Ballègue. Après, tu tournes à gauche et tu prends la route du Golf. Tu prends la 2e à droite et tu continues sur la route de Châlet-Boverat. Le refuge est à 1,5 km sur le Chemin de Ballègue.

Donne-moi ta réponse avant le 21 novembre parce que je dois réserver les plats et les boissons chez le traiteur avant le 30 novembre.

Apporte de la musique, nous allons danser toute la nuit ! ☺

Bisous,
Lola

Répondez aux questions. //

1 • Qu'est-ce que Lola veut fêter ? ..../1 point

....

2 • À quelle heure ? ..../1 point

....

3 • Vous devez confirmer avant le... ..../1 point
    a. ❑ 21 novembre.
    b. ❑ 30 novembre.
    c. ❑ 31 décembre.

4 • **Dessinez sur le plan le trajet pour aller au Refuge.** ..../2 points
(2 points si le chemin est tracé, 0 point s'il n'y a que l'arrivée)

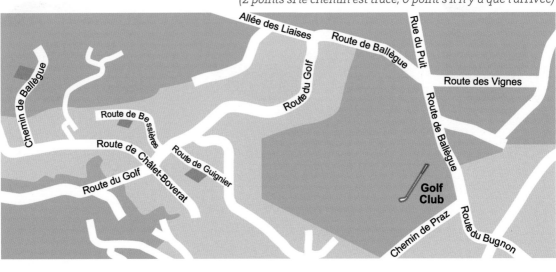

5 • Lola vous demande d'apporter... ..../1 point

a. ☐

b. ☐

c. ☐

EXERCICE 3 ..../6 points

Vous travaillez en Belgique. Vous lisez cette affiche dans votre entreprise.

Journée en montgolfière

Pour participer à la sortie *Vol en montgolfière* du 6 juin à Rhode-Saint-Genèse (à 25 km de Bruxelles), vous devez :

- vous inscrire au comité d'entreprise avant le 30 avril ;
- payer 55 € par carte bancaire.

Pensez à prendre une casquette ou un chapeau, une paire de gants et des chaussures confortables.

Cette sortie est ouverte aux employés et aux enfants des employés.

Répondez aux questions.

1 • Quelle est la date de la sortie ? ..../1 point

2 • Où devez-vous vous inscrire ? ..../1 point

3 • Combien coûte la sortie ? ..../1 point

4 ● Qu'est-ce que vous devez mettre le jour de la sortie ? ..../2 points

a. ☐ b. ☐ c. ☐

5 ● Les employés peuvent participer. Qui d'autre peut aller à cette sortie ? ..../1 point

---

EXERCICE 4 ..../7 points

Vous lisez cet article dans un journal français. ///

La lecture et les jeunes

La Région Centre veut aider les jeunes à lire. Elle propose aux jeunes de 12 à 25 ans de recevoir un livre gratuit au mois de septembre.

Les jeunes peuvent choisir entre 4 livres :
– *Henri le petit sorcier,* pour les 12-15 ans ;
– *Le tour du monde en 80 jours* de Jules Verne, un grand classique sur les voyages dans le monde entier ;

– *Au bonheur des ogres* de Daniel Pennac, si on aime le mystère et l'humour dans la même histoire ;
– *Le Malade imaginaire* de Molière, pour découvrir le théâtre classique français.

Pour recevoir un livre, il faut remplir un formulaire sur Internet : www.region-centre.fr/lecture

Répondez aux questions. ///

1 ● Qui veut offrir un livre aux jeunes ? ..../2 points
  a. ☐ Une école.
  b. ☐ Une région.
  c. ☐ Une bibliothèque.

2 ● Quel livre est recommandé pour un jeune de 13 ans ? ..../1 point

3 ● Pour découvrir de nouveaux pays, quel livre faut-il lire ? ..../1 point

4 ● *Au bonheur des ogres* n'est pas un texte... ..../2 points
  a. ☐ drôle.
  b. ☐ théâtral.
  c. ☐ mystérieux.

5 ● Que faut-il faire pour recevoir un livre ? .... /1 point

a. ☐

b. ☐

c. ☐

EXERCICE 1 ..../10 points

Vous voulez voyager en France. Vous remplissez cette demande de visa. //////////////////////////////

RÉPUBLIQUE FRANÇAISE

DEMANDE DE VISA POUR TOURISTE

Nom : XXXXX   Passeport n° : XXXXXXXXXXXX

Prénom : ..../1 point

Nationalité : ..../1 point

Adresse complète : ....

..../1 point

Sexe : ..../1 point

Taille : ..../1 point

Couleur des yeux : ..../1 point

Date de naissance : ..../1 point

Ville de naissance : ..../1 point

Pays de naissance : ..../1 point

Votre passeport expire le : .... / .... /20............ ..../1 point

---

EXERCICE 2 ..../15 points

*Vous êtes en vacances à la mer. Vous écrivez une carte postale à un(e) ami(e)
pour lui raconter ce que vous faites et le temps qu'il fait.* (40 mots minimum) //////////////////////////

EXERCICE 1 .... /5 points

Répondez aux questions de l'examinateur. ///

Il vous pose des questions sur vous, votre famille, vos goûts ou vos activités. (Exemples : *comment est-ce que vous vous appelez ? Quelle est votre nationalité ?* Etc.)

EXERCICE 2 .... /4 points

Posez des questions à l'aide des mots écrits sur les cartes. ///

| Loisirs ? | Adorer ? | Avion ? | Mariage ? | Agenda ? | Professeur ? |

EXERCICE 3 .... /7 points

Vous jouez la situation qui vous est proposée. //

À l'office de tourisme ///

Vous êtes à l'Office de tourisme de Toulouse, en France. Vous demandez des informations sur les activités que vous pouvez faire (horaires et prix).
L'examinateur joue le rôle de l'employé de l'Office de tourisme.

/////////// ■ **Compréhension orale** // .... **/25 points**

EXERCICE 1 .... **/4 points**

Vous écoutez ce message sur votre répondeur. ///
Lisez les questions. Écoutez le document, puis répondez aux questions.

🎧 PISTE 59

1 ● Quel événement veut fêter Hourya ? .... /1 point

2 ● Où est-ce qu'elle veut aller ? .... /1 point
  a. ❑ À un parc à thème.
  b. ❑ À un concert de rock.
  c. ❑ À un match de volley-ball.

3 ● Après, qu'est-ce que vous allez manger ? .... /1 point
  a. ❑   **b.** ❑   **c.** ❑

4 ● À quel numéro devez-vous appeler Hourya ? .... /1 point

---

EXERCICE 2 .... **/5 points**

Vous écoutez cette émission à la radio. ///
Lisez les questions. Écoutez le document, puis répondez aux questions.

🎧 PISTE 60

1 ● Dans quelle ville est-ce que Zéphir chante demain ? .... /2 points

2 ● Que pouvez-vous gagner ? .... /1 point
  a. ❑   **b.** ❑   **c.** ❑

3 ● Quel numéro devez-vous appeler ? .... /1 point

4 ● Quelle est la durée du jeu ? .... /1 point
  a. ❑ 10 minutes.   **b.** ❑ 20 minutes.   **c.** ❑ 30 minutes.

///

EXERCICE 3 ..../6 points

Vous consultez la messagerie vocale de votre téléphone portable. ////////////////////////////////
Lisez les questions. Écoutez le document, puis répondez aux questions.

PISTE 61

1 • 1. Vous pouvez utiliser votre messagerie vocale pour... ..../1 point
   a. ❑ connaître la météo.
   b. ❑ changer votre code secret.
   c. ❑ contacter le service clients.

2 • Si vous tapez 2, qu'est-ce que vous pouvez enregistrer ? ..../2 points

....

3 • Pour obtenir de l'aide, vous appuyez sur... ..../1 point
   a. ❑   **b.** ❑   **c.** ❑

4 • Pour consulter l'actualité, quel numéro devez-vous appeler ? ..../2 points

....

EXERCICE 4 ..../10 points
(2 points par bonne réponse)

Vous allez entendre cinq petits dialogues. Ils correspondent à cinq situations ////////////////////
différentes. Associez chaque dialogue à une image.

PISTE 62

Attention ! Il y a 6 images, mais 5 dialogues seulement.

A  Situation n°	**B**  Situation n°	**C**  Situation n° ....
D  Situation n°	**E**  Situation n°	**F**  Situation n° ....

159

EXERCICE 1 ..../6 points

Vous habitez en France. Vous consultez votre facture d'électricité et vous lisez ces explications.

VOS CONTACTS

Par Internet :
- vous pouvez consulter votre contrat et vos factures 24 heures sur 24 sur www.espace-client.edf.fr
- connectez-vous sur www.boutiques-edf.fr pour trouver la boutique EDF de votre ville.

Par téléphone :
- Service client : si vous avez des questions sur votre contrat ou sur votre facture, appelez le 09 69 39 33 08 du lundi au samedi, de 8 h à 21 h. Un conseiller EDF répond à vos questions.
- Serveur vocal : pour payer votre facture par carte bancaire, appelez le 0 800 123 333 (gratuit). Ce service est disponible 24 heures sur 24.

Répondez aux questions.

1 ● **Où pouvez-vous consulter votre contrat ?** ..../1 point
  a. ❏ Sur Internet.
  b. ❏ À la boutique.
  c. ❏ Sur le serveur vocal.

2 ● **Quelle adresse internet devez-vous consulter pour trouver une boutique EDF ?** ..../2 points

3 ● **Quel numéro devez-vous appeler pour parler avec un conseiller ?** ..../1 point

4 ● Comment pouvez-vous payer votre facture ? ..../1 point
  a. ❏   **b.** ❏   **c.** ❏

5 ● Quel service fonctionne 24 heures sur 24 ? ..../1 point
  a. ❏ La boutique.
  b. ❏ Le service client.
  c. ❏ Le serveur vocal.

EXERCICE 2

........../6 points

Vous habitez en Belgique. Votre voisine laisse ce message dans votre boîte aux lettres. ///////

> Salut !
>
> Tu veux venir à un concert privé avec moi ? C'est jeudi soir à l'Astrolabe.
> Il y a deux groupes. À 20 h 00, ça commence avec Cambodia : c'est un groupe de rock génial. À 21 h 30, il y a McRim et sa bande. C'est un groupe de rap.
> Pour aller à la salle de concerts, c'est simple : tu prends le bus et tu t'arrêtes à la Médiathèque. Tu traverses la place Gambetta et tu tournes à droite. Tu continues sur le boulevard Richemont, puis la rue Jean Jaurès. Tu prends la première à droite, rue de Lavisse. C'est au numéro 22.
>
> À plus tard !
> Amélie L.

Répondez aux questions. //

1 ● Quel jour est le concert ?   ..../1 point

....

2 ● À quel endroit ?   ..../1 point

....

3 ● Quel est le style de musique de Cambodia ?   ..../1 point

a. ☐   b. ☐   c. ☐

4 ● Dessinez sur le plan le trajet pour aller au rendez-vous.   ..../2 points

(2 points si le chemin est tracé, 0 point s'il n'y a que l'arrivée)

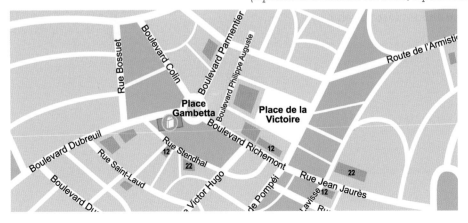

5 ● Quelle est l'adresse de l'Astrolabe ? .... /1 point
    a. ❏ 20 rue de Lavisse.
    b. ❏ 21 rue de Lavisse.
    c. ❏ 22 rue de Lavisse.

EXERCICE 3 .... /6 points

Vous vivez au Québec, au Canada. Vous lisez cette affiche dans la rue.

LE QUARTIER A DU TALENT
Participez à notre concours de talents
Samedi 21 avril

Vous avez un talent de chanteur, de danseur, d'acteur ou de magicien ?
Participez au **concours de talents de la Maison du quartier**.

Venez à la réunion d'information le samedi 3 février.
Pour vous inscrire, présentez-vous au secrétariat avant le vendredi 9 mars.
Il faut remplir un formulaire et indiquer, bien sûr, votre talent.

Il y a un voyage à gagner !! Venez nombreux !

Répondez aux questions.

1 ● De quel événement s'agit-il ? .... /2 points
    a. ❏ Une fête.   **b.** ❏ Un atelier.   **c.** ❏ Une compétition.

2 ● Quand est l'événement ? .... /1 point
....

3 ● Où ? .... /1 point
....

4 ● Qu'est-ce qu'il y a au mois de février ? .... /1 point
....

5 ● Quelle est la date limite d'inscription ? .... /1 point
....

Vous visitez Orléans. Vous consultez l'agenda culturel.

Du dimanche 8 juillet au jeudi 12 juillet

SPECTACLE COMIQUE

La comédienne Lily Hilare présente son nouveau spectacle au Zénith d'Orléans.

....
Tarif : 21 €.

Samedi 21 juillet
KAYAK SUR LA LOIRE

Inscription : **9 €**
Location de matériel : **6 €**

....
Promenade de 11 h à 16 h,
avec un pique-nique de 12 h 30 à 13 h 30.

....
Visitez l'Office du tourisme
pour plus d'informations.

Samedi 14 juillet

FEUX D'ARTIFICE
AU BORD DE LA LOIRE

....
Gratuit !
Le spectacle commence à 22 h 00.

LES MARCHÉS D'ORLÉANS
pour trouver tous les produits que vous voulez :
Alimentation, vêtements, livres.

....
Marché place de la Bascule
Le mardi de 8 h à midi.

....
Marché nocturne place de Gaulle
Le vendredi de 17 h à 21 h 30.

Répondez aux questions.

1 • Combien coûte une place pour le spectacle de Lily Hilare ? ..../1 point

2 • Où se trouvent les feux d'artifice ? ..../1 point

3 • L'inscription à l'activité *Kayak sur la Loire* coûte... ..../2 points
   a. ❏ 6 €.
   b. ❏ 9 €.
   c. ❏ 11 €.

4 • Pendant la promenade en kayak, vous allez... ..../1 point
   a. ❏   **b.** ❏   **c.** ❏

5 • Si vous êtes à Orléans le 13 juillet, vous pouvez... ..../2 points
   a. ❏ faire du kayak.
   b. ❏ aller au marché.
   c. ❏ voir les feux d'artifice.

EXERCICE 1 ..../10 points

*Vous voulez passer le DELF. Vous allez à votre centre d'examens. //
Vous remplissez ce formulaire d'inscription.*

Centre d'examens officiels

Inscription au *Diplôme d'études en langue française*

Nom : XXXXX

Prénom : ..../1 point

Nationalité : ..../1 point

Date de naissance : ..../1 point

Ville de naissance : ..../1 point

Pays de naissance : ..../1 point

Adresse : ..../1 point

Ville : ..../1 point

Téléphone : ..../1 point

Courriel : .... @................................ ..../1 point

Diplôme souhaité : DELF ..../1 point

EXERCICE 2 ..../15 points

*Vous habitez en Belgique. Vous envoyez un courriel à un(e) ami(e) pour lui proposer
d'aller au restaurant avec vous. Vous lui dites où est le restaurant, combien coûte un menu
et quand est le rendez-vous. (40 mots minimum) ///*

Objet : Restaurant

EXERCICE 1 ..../5 points

Répondez aux questions de l'examinateur.

Il vous pose des questions sur vous, votre famille, vos goûts ou vos activités. (Exemples : *comment est-ce que vous vous appelez ? Quelle est votre nationalité ?* Etc.)

EXERCICE 2 ..../4 points

Posez des questions à l'examinateur à l'aide des mots écrits sur les cartes.

| Weed-end ? | Français ? | Nager ? | Fruits ? | Concert ? | Train ? |

EXERCICE 3 ..../7 points

Vous jouez la situation qui vous est proposée.

À la boulangerie-pâtisserie

Vous êtes à Strasbourg, en France. Vous achetez des produits dans une boulangerie-pâtisserie.
Vous précisez la quantité que vous souhaitez.Vous demandez le prix et vous payez.
L'examinateur joue le rôle du boulanger-pâtissier.

Petits PLUS

Grammaire

Voici quelques points de grammaire à travailler au niveau A1.

I Le présent

Au niveau A1, il est important de bien conjuguer et de bien utiliser le présent des verbes fréquents, comme les verbes en -*er*, -*ir* et les verbes modaux.

A. LES VERBES EN -*ER*

En général, les verbes en -*er* ont **1** base verbale. On ajoute la terminaison à cette base verbale.

CHANTER
Base verbale + -***er***

Je chant**e**	Nous chant**ons**
Tu chant**es**	Vous chant**ez**
Il/Elle chant**e**	Ils chant**ent**

⚠ Attention : dans quelques cas, il faut modifier la base verbale.

- Exemple 1 : APPELER

J'appel**le**	Nous appel**ons**
Tu appel**les**	Vous appel**ez**
Il/Elle appel**le**	Ils/Elles appel**lent**

- Exemple 2 : ACHETER

J'ach**è**t**e**	Nous achet**ons**
Tu ach**è**t**es**	Vous achet**ez**
Il/Elle ach**è**t**e**	Ils/Elles ach**è**t**ent**

- Exemple 3 : COMMENCER → Nous commen**ç**ons

- Exemple 4 : MANGER → Nous mang**e**ons

- Exemple 5 : les verbes en -*yer* : ESSAYER

J'essa**ie**	Nous essay**ons**
Tu essa**ies**	Vous essay**ez**
Il/Elle essa**ie**	Ils/Elles essa**ient**

B. LES VERBES EN -*IR*

Il existe trois types de verbe en -*ir*.

- Les verbes comme OUVRIR : ils ont **1** base verbale et la même terminaison que les verbes en -*er*.

J'ouvre	Nous ouvrons
Tu ouvres	Vous ouvrez
Il/Elle ouvre	Ils/Elles ouvrent

Des verbes comme *couvrir, offrir, souffrir* se conjuguent sur le même modèle.

- Les verbes comme FINIR : ils ont **1** base verbale, mais des terminaisons différentes.

Je finis	Nous finissons
Tu finis	Vous finissez
Il/Elle finit	Ils/Elles finissent

Des verbes comme *choisir, grandir, réfléchir, remplir* se conjuguent sur le même modèle.

- Les verbes comme SORTIR : ils ont **2** bases verbales.

Je sors	Nous sortons
Tu sors	Vous sortez
Il/Elle sort	Ils/Elles sortent
(base 1 : *sor-*)	(base 2 : *sort-*)

Des verbes comme *dormir, s'endormir, partir, sentir* se conjuguent sur le même modèle.

C. LES VERBES MODAUX

Les verbes modaux *vouloir, pouvoir* et *devoir* ont **3** bases verbales et ils sont **toujours suivis d'un verbe à l'infinitif**.

VOULOIR

Je veux	Nous voulons
Tu veux	Vous voulez
Il/Elle veut	Ils/Elles veulent

Exemple : Tu veux **venir** avec moi ?

POUVOIR

Je peux	Nous pouvons
Tu peux	Vous pouvez
Il/Elle peut	Ils/Elles peuvent

Exemple : Je peux **passer** chez toi à 7 h.

DEVOIR

Je dois	Nous devons
Tu dois	Vous devez
Il/Elle doit	Ils/Elles doivent

Exemple : Tu dois **téléphoner** avant ce soir.

⚠ Attention : Il s'agit de généralités. Il existe d'autres types de verbes à conjuguer, comme les verbes irréguliers (*avoir, être, aller, faire, dire*, etc.).

Au niveau A1, vous devez être capable de raconter des événements ponctuels du passé avec le **passé composé** et des événements qui se rapportent à un passé immédiat avec le **passé récent**.

A. LA FORMATION DU PASSÉ COMPOSÉ

Comment former le passé composé ?

> **SUJET + AVOIR ou ÊTRE + PARTICIPE PASSÉ**
> conjugué au présent

Par exemple : **J'ai vu** mon père hier.
> **Je suis sorti** avec mes amis.

Quels verbes conjuguer avec être ?

- Les 15 verbes suivants :

Aller ≠ Venir	Rentrer
Arriver ≠ Partir	Passer
Naître ≠ Mourir	Rester
Monter ≠ Descendre	Tomber
Entrer ≠ Sortir	Retourner

Les *dérivés* de ces verbes (sauf *retourner*) se conjuguent aussi avec *être*.

Par exemple : Je suis *de***venu** ← Je suis **venu** → Je suis *re***venu**

- Les verbes pronominaux (*se* laver, *s'*appeler, etc.) se conjuguent aussi avec *être*.

Exemple : **Je *me* suis amusé** à l'anniversaire de Paul.

- Quand le passé composé se forme avec *être*, le participe passé s'accorde en genre (masculin/féminin) et en nombre (singulier/pluriel).

Au féminin : Elle est allé**e** à Nantes.

Au pluriel : Ils sont allé**s** à Nantes. / Elles sont allé**es** à Nantes.

Le passé composé avec avoir

Tous les autres verbes se conjuguent avec avoir.

Exemple : Ce matin, j'**ai fait** mes courses.

Les verbes avec *avoir* ne s'accordent pas en genre et en nombre.

Par exemple : Il/Elle a adoré**Ø** ce film.
> Ils/Elles ont adoré**Ø** ce film.

Le participe passé

En général, on forme le participe passé ainsi :

Verbes en *-er*	→ **-é**	(Mang**er** : j'ai mang**é**)
Verbes en *-ir*	→ **-i**	(Fin**ir** : j'ai fin**i**)
Verbes en *-re* ou *-oir*	→ **-u**	(Disparaî**tre** : il a dispar**u** / **Voir** : Nous avons v**u**)

⚠ Attention : Il s'agit de généralités. La formation du participe passé est complexe. Quand vous apprenez un nouveau verbe, vous devez mémoriser la forme de son participe passé.

- Les participes passés irréguliers les plus courants sont :

Avoir : eu	Faire : fait	Naître : né
Être : été	Devoir : dû	Vivre : vécu

B. LA FORMATION DU PASSÉ RÉCENT

- Le passé récent se forme toujours ainsi :

  > Verbe VENIR conjugué au présent + préposition DE + INFINITIF du verbe

Par exemple : Je **viens de rentrer** de la bibliothèque.
Nous **venons d'acheter** un cadeau pour notre grand-mère.

- Rappel : conjugaison du verbe VENIR (verbe à **3** bases)

Je vien*s*	Nous ven*ons*
Tu vien*s*	Vous ven*ez*
Il/Elle vien*t*	Ils/Elles vienn*ent*

C. LES EMPLOIS DU PASSÉ COMPOSÉ ET DU PASSÉ RÉCENT

- Le **passé composé** sert à raconter des événements ponctuels.

Exemples : J'ai vu Lola dans la rue.
J'ai dîné avec ma famille lundi dernier.

- On utilise aussi le **passé composé** quand la période de temps est définie.

Exemples : Je suis née en 1985.
J'ai fait du sport pendant 2 heures. / J'ai fait du sport de 14 h à 16 h.

- Le **passé récent** sert à raconter un événement ou une action qui se passe juste avant le moment où on parle.
Il s'utilise <u>surtout à l'oral</u>.

Exemple : Je viens de téléphoner à Zachary.

⚠️ Attention : il est impossible de dire : ~~Hier, je viens de téléphoner à Zachary~~.

III Le futur proche

Au niveau A1, vous devez pouvoir utiliser le **futur proche** pour parler d'une action proche dans l'avenir et probable dans sa réalisation.

A. LA FORMATION DU FUTUR PROCHE

- Le futur proche se forme toujours ainsi :

  > Verbe ALLER conjugué au présent + INFINITIF du verbe

Exemples : Je **vais aller** à la bibliothèque cet après-midi.
Nous **allons travailler** dur pour réussir le DELF.

- Rappel : conjugaison du verbe ALLER (verbe irrégulier) :

Je vais	Nous allons
Tu vas	Vous allez
Il/Elle va	Ils/Elles vont

B. LES EMPLOIS DU FUTUR PROCHE

- Le futur proche sert à exprimer **une action qui se passe dans un avenir proche**.
Exemples : Je vais apporter ce dossier ce soir.
La semaine prochaine, on va voir une exposition sur Dalí.

- Il sert aussi à parler d'**un projet probable**.
Exemples : C'est décidé ! Je vais faire du sport.
L'année prochaine, nous allons voyager en Europe.

IV L'interrogation

Il existe plusieurs formes d'interrogation en français :

	Questions fermées	Questions ouvertes	*Usages*
Inversion verbe-sujet	**As-tu** faim ?	Quand **viens-tu** dîner chez moi ?	Plutôt à l'écrit ou dans une situation (très) formelle à l'oral
Avec *est-ce que*	**Est-ce que** tu as faim ?	Quand **est-ce que** tu viens dîner chez moi ?	Aussi bien à l'oral qu'à l'écrit, aussi bien dans des situations informelles que formelles
Forme orale (forme affirmative, mais intonation montante à l'oral)	Tu as faim **?**	Tu viens dîner chez moi **?**	Plutôt à l'oral ou dans des correspondances écrites informelles (mail à un ami, sms)

⚠ Important : pendant l'épreuve de production orale du DELF A1, vous devez varier la formulation des questions et utiliser l'inversion verbe-sujet, la structure *est-ce que* et la forme orale.

● La réponse à une **question fermée** commence par *oui* ou par *non*.
Réponse possible : Oui, j'ai faim.

● La réponse à une **question ouverte** varie selon le pronom interrogatif utilisé : *pourquoi ? quand ? où ? comment ? qui ?* Etc.
Réponses possibles : Je viens demain. Je viens dîner à 20 h. Je ne peux pas venir dîner chez toi.

⚠ Attention : les questions *quel est, quelle est, quels sont, quelles sont* ont une formulation unique : *Quel est ton nom ? Quelle est votre adresse ?* Etc.

V Les articles définis

Il existe plusieurs formes d'interrogation en français :

	Singulier	Pluriel
Masculin	le	les
Féminin	la	

● Les articles définis désignent une chose ou une personne **identifiables**.
Exemples : **Le** cours de français a commencé. **Le** professeur est sympa.
(Je parle de mon cours et de mon professeur.)

● Ils désignent une catégorie générale de choses ou de personnes.
Exemples : **Les** chiens sont des animaux fidèles. **Les** Canadiens sont bilingues.

⚠ Attention : pensez à la contraction de *le* et *les* dans les cas suivants :
à + le → *au*   à + les → *aux*   Exemple : Je parle **au** professeur.
de + le → *du*   de + les → *des*   Exemple : Je parle **du** professeur.

VI Les articles indéfinis

	Singulier	Pluriel
Masculin	un	des
Féminin	une	

● Les articles indéfinis désignent une chose ou une personne **non identifiables**.
Exemples : **Un** homme et **une** femme parlent dans la rue. (On ne sait pas qui sont ces personnes.)
Il y a **des** livres sur la table. (On ne précise pas quels livres sont sur la table.)

	Singulier	Pluriel
Masculin	du	des
Féminin	de la	

- Les articles partitifs servent à désigner une **quantité indénombrable ou indéfinie**.

Exemples : Je bois **du** lait et je mange **des** biscuits tous les matins. (Je ne peux pas compter la quantité de lait et je ne précise pas le nombre de biscuits.)

////////// **VIII** Les adjectifs possessifs ///

		Moi	Toi	Lui/Elle	Nous	Vous	Ils/Elles
Singulier	Masculin	mon	ton	son	notre	votre	leur
	Féminin	ma	ta	sa			
Pluriel		mes	tes	ses	nos	vos	leurs

⚠ **Attention** : si un mot **féminin** commence par une voyelle ou un *h* muet, il faut utiliser *mon, ton, son*.

Exemple : une amie → mon amie. Impossible : ~~ma amie~~.

- On utilise *son, sa, ses* quand il y a **1 possesseur**.
Exemple : Le cahier de **Pierre** → *son* cahier.
      Le<u>s</u> cheveux de **Julia** → *se<u>s</u>* cheveux.

- On utilise leur et leurs quand il y a plusieurs **possesseurs**.
Exemple : Le mariage de **Samuel et Anne-Sophie** → *leur* mariage.
      Le<u>s</u> chiens d'**Angélique et ses enfants** → *leur<u>s</u>* chiens.

- Remarque : on n'utilise pas les adjectifs possessifs pour désigner une partie du corps. Si je dis : « J'ai mal à la tête », je parle logiquement de **ma** tête.

////////// **VIII** Les adjectifs démonstratifs ///

	Singulier	Pluriel
Masculin	ce / cet	ces
Féminin	cette	

À qui sont **ces** clés ?

- L'adjectif démonstratif sert à désigner, à montrer une personne ou un objet.

⚠ **Attention** : si un mot **masculin** commence par une voyelle ou un *h* muet, il faut utiliser *cet*.

Exemples : Banksy est un artiste extraordinaire → **Cet** artiste est extraordinaire.
      L'hôtel Syracuse est recommandable. → **Cet** hôtel est recommandable.

Vocabulaire

Voici une liste de mots que vous allez rencontrer au niveau A1.

I La famille

Le père
La mère
Les parents (masc.)
Le fils
La fille
Les enfants (masc.)
Le frère
La sœur

Le grand-père
La grand-mère
Les grands-parents (masc.)
Les petits-enfants (masc.)

L'oncle (masc.)
La tante
Le neveu
La nièce
Le cousin
La cousine

La famille recomposée
Le demi-frère
La demi-sœur

La belle-famille
Le beau-père
La belle-mère
Les beaux-parents
Le beau-fils
La belle-fille
Les beaux-enfants
Le beau-frère
La belle-sœur

II La maison

Un logement
Un appartement
Une maison
Un jardin

La salle à manger
Le salon
La cuisine
La chambre
La salle de bains
Les toilettes (fém.)

Prendre une douche
Prendre un bain
Se laver

III Les professions

Une profession
Professionnel
Un travail
Les études (fém.)
Travailler
Étudier
Être + nom de profession

Le vendeur
Le caissier
Le boulanger
Le pâtissier
Le libraire
Le pharmacien
Le médecin
Le docteur

Une entreprise
Une société
Un bureau
Une usine

Les horaires de travail
Les vacances
Une pause

IV Les événements

Une fête
Un dîner
Un repas
Un anniversaire
Un mariage

Faire la fête
Fêter un anniversaire
Célébrer un mariage

V Les goûts

Aimer
Bien aimer
Adorer

Détester

Préférer

VI Les activités culturelles

Le temps libre	L'Art	Un concert	Un artiste	Voir
Les loisirs	La culture	Un spectacle	Un acteur	Regarder
	Le cinéma	Une pièce de théâtre	Un chanteur	Entendre
	Le théâtre	Un film		Écouter
	Un musée	Un monument		

VII Les activités sportives

Le sport	Le football	Le hockey
Jouer à + nom de sport	Le rugby	Le tennis
Faire du sport	Le basket	Le vélo
Nager	Le volley	Le ski
Patiner	Le handball	La natation

VIII Les lieux dans la ville

Une ville	Un hébergement	Un magasin	Un supermarché	Un client
Une capitale	Une auberge de jeunesse	Une boutique	Faire les courses	Un achat
Un quartier	Un hôtel	Un café		Acheter
Une rue		Un restaurant		Coûter
Un parc		Une boulangerie		Un prix
		Une pâtisserie		Gratuit
		Une librairie		Les soldes (fém.)
		Faire les magasins		La caisse
		Faire du shopping		

IX Les vêtements

S'habiller	Une jupe	Un pull	Des gants (masc.)
Mettre un vêtement	Une robe	Une veste	Un chapeau
Porter un vêtement	Un pantalon	Un manteau	Des chaussures (fém.)
	Une ceinture	Une écharpe	Des chaussettes (fém.)
	Un short		
	Un t-shirt		

X Les couleurs

Noir   Blanc   Rouge   Bleu   Jaune   Vert   Violet   Gris   Orange

A. LES PARTIES DU VISAGE

Les cheveux
Le front
L'œil / les yeux (masc.)
L'oreille (fém.)
Le nez
La joue
La bouche
La lèvre
Les dents
Le menton

B. LES PARTIES DU CORPS

La tête	La jambe
Le cou	Le genou
L'épaule (fém.)	Le pied
Le dos	Les orteils
Le ventre	
Le bras	
Le coude	
La main	
Les doigts	Avoir mal à + partie du corps ou du visage (j'ai mal *au* bras, j'ai mal *à la* tête, j'ai mal *aux* jambes.)

XII **Les saisons et la météo**

A. LES 4 SAISONS

Une saison

Le printemps

L'été (masc.)

L'automne (masc.)

L'hiver (masc.)

B. LA MÉTÉO

Il fait beau

Il fait mauvais

Il fait chaud

Il fait froid

Il pleut

Il neige

Il y a du vent

Pour plus d'informations sur le lexique, voir :

– Le *Référentiel Niveau A1 pour le français*, Conseil de l'Europe, Division des politiques linguistiques de Strasbourg, Jean-Claude Beacco, Sylvie Lepage, Rémi Porquier, Patrick Riba, éditions Didier, 2008.

– Le *Référentiel de l'Alliance Française pour le Cadre Européen Commun (niveaux A1 – A2 – B1 – B2 – C1 – C2)*, Anne Chauvet, CLE International, 2008.

Crédits photographiques (de gauche à droite, de haut en bas) :

FOTOLIA

P. 11 : Nitr ; dream79 ; bit24 – **p. 12 :** chaoss ; Jackin ; fivepointsix ; B. Wylezich ; Aygul Bulté ; dell – **p. 14 :** Oleksandr Moroz ; Brad Pict ; typomaniac – **p. 15 :** oliman1st ; apops ; algre – **p. 19 :** Chefsamba ; GoodMood Photo ; Kondor83 ; abhbah05 ; adw123 ; denis_smirnov - treenabeena – **p. 20 :** Mimi Potter ; Africa Studio ; Frog 974 – **p. 22 :** arsdigital ; johny007pan ; fiphoto – **p. 24 :** Scanrail ; kittipak ; rakijung – **p. 25 :** M.studio ; monticellllo ; alain wacquier – **p. 26 :** avatar444 ; M.studio ; Joe Gough – **p. 27 :** jy cessay ; peshkova ; aerogondo ; Barbara Helgason ; Galina Barskaya ; mykung – **p. 51 :** joanna wnuk ; bit24 ; Sea Wave – **p. 53 :** arturaliev ; alain wacquier ; Jacek Chabraszewski ; M.studio – **p. 54 :** Deyan Georgiev ; pavel siamionov ; Africa Studio – **p. 55 :** helenedevun ; Jeremy Tamisier ; Africa Studio – **p. 56 :** Elena Show – **p. 57 :** tarasov_vl ; alesikka – **p. 58 :** rcx ; aziatik13 ; denira ; Africa Studio – **p. 59 :** tackgalichstudio - Igarts ; raven ; aurora ; ChantalS ; Leonid Andronov ; Lsantilli – **p. 60 :** Christopher Jones ; volff ; Food photo ; tashka2000 – **p. 62 :** imaginando ; arahan ; Sergey Mostovoy ; kebay – **p. 63 :** Mikael Damkier – **p. 64 :** piai ; Do Ra (x7) ; nemans ; Frédéric Boutard ; Chris Brignell – **p. 65 :** branchecarica – **p. 66 :** orfeev (x4) ; Beboy – **p. 75 :** Patryk Kosmider ; Christian Musat ; Claudio Colombo – **p. 76 :** Panoramo ; ikonoklast_hh ; xy – **p. 79 :** Tanouchka ; Olivier Dirson ; Csaba Peterdi – **p. 83 :** Ion Popa – **p. 85 :** Jipé – **p. 86 :** photopitu ; Tanouchka ; stokkete – **p. 88 :** laranik ; sarah besson ; seqoya – **p. 89 :** cienpiesnf (x3) – **p. 90 :** venusangel ; AGcuesta ; Ilya Akinshin – **p. 92 :** Fotowerner ; Aleksandr Lesik ; Smileus – **p. 93 :** Donnerbold ; Photocolorsteph ; Ponchy – **p. 94 :** Focus Pocus LTD ; Georgiy Pashin ; zmu – **p. 98 :** womue ; Denis Tabler ; Quade – **p. 99 :** rtorson ; onur3d ; Zffoto ; Dessie ; dream79 ; Jacek Chabraszewski – **p. 113 :** Dussauj ; Onidji – **p. 123** ; **127** ; **131-133 :** Rozol – **p. 135 :** dimakp ; Food photo ; Diana Taliun ; alinamd – **p. 136 :** sergio37_120 (x2) ; yvdavid ; Scanrail ; rakijung ; Coloures-Pic ; Csák István ; macbrianmun ; Scanrail ; Brad Pict ; jkphoto69 ; Africa Studio – **p. 137 :** Brad Pict ; Pixel & Création ; Hugh O'Neill ; ayo's photo ; Hustock ; borabajk ; Tombaky ; Alexandra Karamyshev (x2) ; Donets ; Gina Sanders – **p. 138 :** Nitr ; mariontxa ; Bernd Jürgens ; sumnersgraphicsinc – **p. 139 :** auremar ; oksix ; Nicolas Larento ; Photopolitain – **p. 148 :** Rozol ; Gresei ; Gina Sanders ; baibaz ; volff ; DenisNata ; Gresei – **p. 150 :** Direk Takmatcha ; Africa Studio ; George.M. – **p. 151 :** nikesidoroff ; Serghei Veluseceac ; atoss ; Dionisvera – **p. 153 :** Richard Villalon ; StuckPixel ; Africa Studio ; anekoho – **p. 154 :** Ingus Evertovskis ; Nenov Brothers ; Elnur – **p. 155 :** Amathieu ; apops ; ptnphotof – **p. 156 :** Dussauj – **p. 157 :** Rozol ; jundream ; Yvann K ; Julien Boyer ; Julien Bastide – **p. 158 :** sergio37_120 ; HLPhoto ; M.studio ; pico – **p. 160 :** Regormark ; dalaprod ; cdrcom – **p. 161 :** arturaliev – **p. 165 :** Rozol ; M.studio ; Tesgro Tessieri ; Diana Taliun– **p. 174 :** tropper2000 ; grafikplusfoto ; Smileus ; Tiler84

P. 86 : Ploubelle la ville ! (en haut, x2) – **p. 88 :** Winds/E. Guionet – **p. 127 :** Lonely Planet (x4) – **p. 128 :** Lonely Planet (x4) – **p. 134 :** BIS/Ph coll Archives SEJER – **p. 137 :** Éditions Marabout ; First Éditions ; Éditions Sud Ouest ; Glénat ; First Éditions ; Larousse

N° : 10257197 - Dépôt légal : février 2019
Achevé d'imprimer sur les presses de Macrolibros en juillet 2019
Le papier de cet ouvrage est composé de fibres naturelles, renouvelables, fabriquées à partir de bois provenant de forêts gérées de manière responsable.